열한 번째 시집

김성호

시간이

지

나

면

서

성미출판사

발행일/2024/01/30

지은이/김성호

펴낸이/김성호

펴낸 곳/성미출판사

디자인/성미출판사

교정/편집/성미출판사

출판등록〔720-93-00159〕

주소/서울금천구 시흥3동시흥대로6길35-25(2층 203호)

대표전화/02)802-2113(팩스겸용)

전자우편/sungmobook@naver.com

홈페이지/https;www.haver.com/sungmobook

블로그/https://bIog.haver.com/sungmobook

ISBN/979-11-982790-9-5(00800)

정가/13,200

목차

서문(序文)
한 편의 詩가 탄생하기까지

'얼마나 더 갈고 닦아야 시성(詩聖)의 반열에 오를 수 있는 걸까?' 얼마나 더 많은 귀를 가져야 사람들의 심안(審按)을 들을 수 있는 걸까? 시성의 감성으로 돌아가고 싶다.

세상에는 눈에 띄지 않는 예술재료가 얼마든지 널려있다. 순간순간 무엇을 보며 배운다는 것은 대단한 축복이다. 생산적 상상거리를 한데로 모으는 수집이기 때문이다. 존재가 명확한 사물들의 움직임을 관찰하는 것은, 바깥을 향해서만 찾아낼 수 있다. 어떤 물체의 특징에 대하여 자세히 살펴보는 안목이 관찰이다. 이보다 깊은 성찰은-꿰뚫고 들어간다는 관입(貫入)이 있다.

모델은 안에서 운동하는 가상이다. 예술기반의 지향은 탁월한 함수에 달려있다. 천성적으로 타고난 재주의 재량이든, 지식 위에 지식이든, 책상을 뛰어 넘는 공중부양의 정신적 동원력이 최고조에 달해있으면, 예술의 발육은 펄펄 살아 오른다. 달이 차 무릇 익은 내부에서부터 아무 때나 수액(樹液)을 끌어올릴 수 있어야만, 진면목을 갖춘 예술인이라고 불릴 수 있다는 것이다. 모든 감정의 싹은 자기 안에서 틔워내야 한다는 뜻이다. 그렇지 않으면 시간투자의 의미는 사라질 수밖에 없다.

실상의 나를 점검하면서 만나게 되는 시(詩)의 효능은 갑자기 한눈에 들어오지 않는다. 그것은 경제랑, 사회의 현실과는 아무 관계도 없는 것같이 보이지만, 그러나 대저 나라에 시가 없으면, 마치 영혼이 없는 것과 같이 그 품위는 향긋하지 못 하다.

진실을 담는 시간은 무겁다. 기다림을 견디는 인내는 쓰기 마련이다. 문학예술인은 작업을 할 시에는 될수록 누구든 곁에 앉히지 않고, 저마다 기묘한 규범으로 원고 량을 채워나간다. 아무것도 존재하지 않는 캄캄한 무형(無形)의 세계를, 실체의 유형(有形)으로 살려내는 예술작업은, 유독 춥고 고독하다. 불특정 다수의 인상을 포획(捕獲)하는 수집의 과정은 그토록 녹록치 않다. 눈앞에서 얼핏 스친 전등 빛 하나, 혹은 그다지 중요하지 않는 그 어떤 물체들을 적절하게 배합하는 인문창조의 눈매는, 선택으로 일임 받은 예술인들만의 몫이다.

젊음의 혈기가 펄펄 끓어오른다. 너무 뜨거워 가슴이 터질 지경이다. 나로써 나를 만들어가는 과정은 누구에게나 쉽지 않는 일이다. 실패의 가장 큰 원인은 일시적인 패배에 언제까지나 머물러있는 단념이다. 정작 두려워해야할 대상은 넘어진 실수가 아니라, '내 인생은 여기까지다.'한계를 스스로 정한 방관이다.

세월이 가면 백발이 성성한 장년(壯年)에 이르고, 그 무렵에 남는 건 청춘으로 다시 돌아길 수 없다는 것.

2024년 01월

序詩
참되신 나의 주여

사람을 감찰하시는 보좌의 주님
말씀으로 내 영혼을
맑게 씻어주소서.
내 영혼을 새롭게 하옵소서.

삼키려드는 어둠의 세력
빛을 내려 물리쳐 주옵소서.
그것들이 힘을 모아 엄습할지라도
신원의 방패로 지켜주옵소서.

참되신 나의 주여
자비를 베푸소서.
하지 말아야 말을 일러 주소서.
시험에 넘어질까 하나이다.

참되신 나의 주여
나의 믿음 더욱 굳세게 하소서
은혜 넘치는 기쁨으로
오늘도 살게 하옵소서.

참되신 나의 주여
은총을 내리소서.
육신의 연약을 벗어
승리의 나팔을 불게 하옵소서.

전능하신 나의 주여
지혜를 내리소서.
주님의 뜻을 깨달아
진리의 길을 알게 하옵소서.

오늘의 기도 제목은
주님의 평강이 세상에 널리 퍼져
누구든 구원 안에서
평화의 노래를 부르게 하옵소서.

제1부

젊은이는 추억을 쌓고
늙은이는 추억을 먹고 산다.

월요일 아침 조회 풍경

전 교생 모인 운동장
담임 맡은 반 아이들과 마주보고 선
도열의 선생님들
일동 앞에 선 남자선생님의
우렁찬 외침

차렷!
열중 쉬어!
차렷!
선생님께 경례!
선생님, 안녕하세요.

아주 먼 옛날
아니, 그렇게 멀지도 않는
전기가 없던 시절
밤이면 집집마다
캄캄함에 덮이는 그 방마다
호롱불이 있었다.
호롱불을 벗 삼아
구구단을 외우는
아이의 낭랑한 목소리가
담장을 넘을 때면
어머니께서 밤참을 해오시던 시절
골무 손에 쥔 실 바늘로
전구를 넣어 구멍 난 양말과

터진 옷가지를 꿰매시는
어머니 옆에서
한없이 즐겁게 먹고 마시며
신나게 뛰 놀았던
우리의 옛 철부지 모습
호롱불 비치는 벽면을 향해
열손가락으로 개의 모양
고양이그림자도 가상으로 그려냈던
세월 저편의 그때 그 시절.
호롱불은 밤이면 마음까지 밝히며
우리의 성장을 음양으로 도왔다.
그때의 어깨동무들
각자 가고자했던 길 가고 있을까?

여름방학 숙제 물 준비하려
산 나무를 타고 올라 잡은
사슴벌레, 풍뎅이, 매미 등을
어머니 내의 뺀
아버지께서 직장에 출근하시면서
입으시며 비운 와이셔츠 종이상자에
압핀으로 고정 꽂은 박재 채로
흑 칠판을 등지고 기다리시는
선생님께 올리며
임무완수의 안도를 내쉬었던
그때 그 시절

유리창 많은 교실 안에서
국어, 산수, 사회, 자연공부에

방해를 끼치는 말썽꾸러기
몇 아이들의 종아리 때렸던 선생님
그 학교에서의 잠시 해방 얼마나 즐거웠던 가.
두 뒷다리 잡힌 방아깨비 방아 찧는
모양새 즐기다
잠자리 나는 들판을 반바지로 쏘다니며
바랭이, 강아지풀, 명아주로 식물채집 마치고
개울 속에 풍덩풍덩 뛰어들어
그 위를 자유자재로 떠다니는
소금쟁이 놓친 아쉬움을
송사리 몇 마리 가둬 담은
유리병 안고 오른 풀밭에 누워
옥수수 하모니카를 불렀던
발장단에 맞춰 풀피리 불렀던
유년시절의 동무들 정겹게 그립다.

세월의 시간 얼마나 흘렀을까?
젊은이는 추억을 쌓고
늙은이는 추억을 먹고 산다.
지나고 보니 그때 그 시절도
한 점의 순간이었음을 곱씹는다.
겹겹의 퇴적낙엽에 덮인
옛 시절의 정취
구슬치기, 딱지 따먹기, 무릎싸움
아카시아 꽃송이 안에서
기어 나오는 날벌레에
깜짝 놀라 기겁을 지른
그 산중에서 들었던

그 산새들의 청아목청
가슴 귀로 듣는다.

외형은 현대에 맞춰 새롭게 바뀌었으나
여전히 그 터를 지키고 있는 문구점.
코 흘리게 아이들에 학용품 외에
삶은 소라와 번데기를 팔았던
그때 그 여주인 아니 보이고,
낯선 초노인 여성이
가게를 지키고 있다.
먼 추억에 잠기는 심성
꿈을 깨운 옛 동무들
하나하나 더듬으며
아득한 평화의 웃음을 머금는다.
흰 구름 떠 흐르는
푸른 하늘 머리에 이고
드넓은 강다리를 되감기로 건넜고,
봉우리에 봉우리를 넘은 우리는
그렇게 보릿고개 사이를 거닐며
앞만 보며 살아왔다.

우리의 여정은 호흡을 가다듬을 뿐
한 해 저문 같이 끝난 게 아니다.
아침마다 한 태양 다시 떠오르듯,
우리 앞에는 아직도 오르내려야 할
높은 산맥이 세워져있다.
걷는 자만이 목적지에 다다르듯이
힘내자. 우리 모두!

힘찬 종소리

1

힘찬 종소리
그 메아리 울려 퍼지는 도심교차로
부지런한 도심사람들 종소리와 함께
행렬에 행렬을 짓고 일터로 향해 간다.

조각구름 거느린 태양
악기가방 안은 여학생 젖은 머리 말리고
바람에 날린 모자 줍는 노신사
벗겨진 구두 고쳐 신는 아가씨

시간은 오전 8:30분
한꺼번에 밀려든 인파들
전철개찰구 빠져나왔어도
걸음속도 늦추지 않는다.

지하철에 탄 엄마-아들
뒤따르는 외할머니가 등을 떠 민 탓에
노약자 석에 앉게 된 다섯 살 꼬마아이
바닥에 닿지 않는 짧은 두 다리
몇 차례 대롱대롱 구르다
머리를 꺾어 꾸벅꾸벅 존다.

잠든 아들을 안고 목적지에 내리려면
몸이 힘들 것 같다는 경험상을 떠올렸는지
파마머리의 젊은 엄마
작은 체구의 아이를 깨워 놀이에 끌어들인다.
두 손을 마주 붙여서 벌린 엄마의 손아귀에
　"보리!"하며 넣는 작은 주먹 손

"쌀!"하며 재빨리 빼던 중 결국 잡히고 만다.
두세 번 만에 재미를 잃은 아이가
다시금 눈을 감고 잠결에 들려하자,
이번엔 겹쳐 얹은 두 주먹손을
아들 앞으로 내미는 엄마.
양손 검지를 세워 어긋치는 아들
쉽사리 해체되는 엄마의 두 고운 손.

완충과는 거리 먼
싱거운 놀이에 지나지 않으나,
그 속에는 모자간 뗄 수 없는
안전감의 사랑이 흐르고 있다.

2

사물그림자 드린 한낮 해
내 집 정원 비추고
빨래 줄에 빨래 너는 이웃집 아낙
까치소리 듣는다.
길 건너 공원그네에 걸터앉은 남자아이
여동생 공기놀이 지켜보며
시장에서 돌아올 엄마를 기다리다
졸린 눈 감고 머리를 떨군다.

좀 더 자자
좀 더 눕자
기력을 풀고
정적 함정에 빠져
늦장 부리는 나태.
그 사이 깨어있는 경쟁자
한 단계 도약을 뛰어넘어
저만치 앞서 가고 있다.

시간은 나의 몫
머뭇거리는 동안
발 빠른 후발 자에 밀려
먼 산만을 바라보는 신세로 전락한
먼저 된 기성인.

누구든, 어느 사람이든
그 자체로서 온전한 인격체 아닐지니
흙덩이 물에 닿으면
가루로 흩어지듯이
인간은 한 조각의 존재.
사는 동안 육체가 상속받은
마음의 짐을 짊어져야 하나,
잠의 꿈만을 꾸지 않는 이상
그대 인생 물결을 타리.

3

힘찬 종소리
삼라만상의 새들을 깨워
우짖게 하고
망치질소리
개 짖는 소리 들려주며
삶의 생동을 불러일으킨다.

종이여, 평화를 울려라.
생명들을 마구잡이로 쓰러트리는
포화의 전쟁 거두고
뼈들이 묻힌 무덤에도 꽃을 피우자.

그들은 내 고국을 지키겠다며
청춘피를 바친 영웅들
그 덕분에 우리 보통 사람들
가족을 이뤄 평화를
누리고 있지 않는가.

하루 저무는 노을 빛 들녘
음매음매 행렬소떼 풀밭 넘어가고
지친 농부 터벅터벅 집으로 돌아가고
이제 남은 건 캄캄한 어둠세상
때와 장소를 가리지 않고
잠 세계 음악을 들려주는
저녁 종소리
하늘의 별들 마주보게 하누나.

별빛그림자 쓸리지 않는
잠든 마당
말은 끝나 고요하나
숨결 도는 내밀한 경계

동창에서 솟아오른 보름달
숲속 어디선가에서 들려오는
귀뚜라미 속삭임
둥실둥실 귀담아 들으며
나그네 길 인도한다.

중천의 만월
작은 물고기 노니는

시냇물 비추고
마당 켠 감나무그림자
사람들의 방안 이야기
동화로 엿 듣는다.

날씨 마침 좋은 추석명절
터가 좋아 오랜 장수 누릴
만복의 집안
아들 내외 며느리 내외 자녀까지
한상에 둘러앉은 혈육들의 체취
안개에 잠시 가려졌던 보름달
그 사이 채송화 꽃잎에 은방울 얹었구나.

에헤야, 더도 말고 오늘만 같아라.

4

한낮 더위 잊은 선선한 밤
어디선가에서 들려오는
풀벌레 소리 홀로 일어나
한 줄의 시를 쓴다.

존재하는 생은
어떻게 사느냐에 따라
행복과 불행으로 갈리나니
내 안의 빛인 나의 기쁨은
주변을 밝히는 등불.

늙은 몸 안목이라 그러한가.

세상 정마저 시들해 보인다.
누구에게나 기억에 남을 만한
강렬히 있다 하나
연줄주름 모양설명에 애를 먹는다.
얼음이 서걱거리는 냉수 한 사발
가슴을 차갑게 식힌다.

5

23세 때 처음 산을 밟은 계기로
산 얘기만 나오면
신선의 웃음을 활짝 피우는
그녀!
오늘도 산을 오르며 체력을 다진다.
잊을 수 없게 된 그리운 사모에
푹 빠진 산 모성의 품앗이처럼
포근한 감성 예약 없이 언제든
발길을 내디뎌도 언제나 그 자리를
지키고 있는 산.
애증 어린 시선으로
자꾸자꾸 둘러봐도
그때마다 새로운 감명을
달리 깨우치면서
정신력 강화에 몸도 마음도 젊어진
아토(선물)를 안겨 받은 노처녀.
과거 핀잔을 던져댔던 어느 누구도
이젠 더는 말리지 않고
응원의 박수를 쳐주고 있다.
산의 참맛은 잡념을 털어내게 하는 순환이다.

쌍수를 들어 환영하는
종류 별 수목들
퇴적낙엽에 뒤덮인 비탈 숲
빗방울 떨어트리는 잎가지
구릉지의 깊은 골짝
능선평지의 곡선을
도도한 흐름으로 그려내는
자욱 안개
산행 중 갈증을 풀어주는
바위 밑 샘터
이름 모를 낯선 색색 꽃들의
다소곳한 속삭임
사람의 심기를 끌어당기는
이상한 힘의 마력
아기자기하게 보듬는
신비의 환상.
가고 오는 생멸(生滅)

대한민국 산을 다 알고 있다는
그에게도 도전의 정복을 접어야만 했던
사례가 있단다.
중국 티베트 쪽의 쌓인 폭설로
그레이트 히말라야 트레일(GHT)이라고 불리는
히말라야 1700㎞ 높이 봉우리를
하늘 보듯 구경만 하다
다른 루트로 하산할 수밖에
없었다는 것이다.
그 경로의 재도전을 준비하고 있단다.

영광의 새 아침

영광의 새 아침
풀잎이슬 말리는 동창 해
유독 밝구나.
나는 사람으로서 아침 햇살을 받고 있다.
사람으로서의 축복은
사람을 사람으로 사귀며
발전을 도모하는 기쁨이다.
바람은 돛대를 휘날리게 하나,
출렁이는 바다는 항해 배를 떠 민다.

수목들로 물기 내리게 하는
아침저녁의 선선한 공기
윤색 잃어가는 대추나무 잎
한 잎 두 잎 떨어지며
열매달린 가지 드러낸다.

손에 손마다 한 송이 꽃을 쥔 아이들
동요를 부르며 거리를 행진한다.
어떤 여자아이는 머리에 꽃핀을 꽂고
낙엽 내리는 하늘로 앳된 청아 띄운다.

우리들의 미래인 동심의 아이들
오랜 세월의 이력으로 주름이 깊게 팬
노인들의 풍상시름
한시나마 평화로 잊게 하누나.

손에 손마다 꽃을 쥔 아이들의 노래에
흰 머리털 지혜로 어떻게든 지워보려 해도
숨겨지지 않아 체념으로 묻어둔
세월주름 무게 가볍게 펴졌구나.

훌륭한 모든 것은 똑같이
상대인 세파의 어려움을 거치나니,
얼마만이던가 깊게 패인 자취 주름에
시간 되돌린 아름다운 빛 피어낸 것이…

내 기분 늘 새롭게
한층 넓어진 감탄의 경외심
내 안의 순리법칙
평화의 물결로 흐른다.

2

편의점 앞에서 마주보고 선
※윤슬의 여고생 넷
흰 치아로 아이스크림을 깨먹는
혀의 즐거움으로 깔깔 떠든다.

아까부터 네 아이의 뒤편에서
어정어정 장난을 치고 있는 회리바람
쓸어 모은 낙엽을 원 모양으로 만들어
네 소녀를 둘러싼다.

감동에 어쩔 줄 몰라 하는 단발소녀들
감미의 손뼉을 치며 기뻐하다

펄럭펄럭 들춰지는 치맛자락
해방감 비명을 지르며 부여잡는다.
※윤슬 : 햇빛이나 달빛이 비추어 반짝이는 잔물결

3

흐르는 세월
어느덧 동체로 익숙해진 나도
웃자란 통찰의 눈빛으로
삼라만상을 둘러본다.

대기에서 피는 차가운 기운
시대가 좋다 나쁘다 판단은
환경 여건에 맞춰 저마다 달리 말하나,
시간은 계절체험을 인지하는
누구에게나 평등으로 보듬어준다.

동네사람들 둘러앉아 동네소식 나눴던
아름드리 느티나무 아래 널찍한 반석바위
사람들의 심장 뛰는 온기 없이
메마른 낙엽만이 쌓이고 쌓인다.

추억이든 뉘우침이든
그 나날들 잊을 수 없어
갈퀴로 긁어모으는 낙엽은
토질(土質)을 기름지게 하는 밑거름
그 낙엽을 이불 삼아
월동준비에 들어가는 산천 수목들
그 잠시잠깐의 숨죽이는 제한이 없다면

되 기약된 봄철의 들판 푸르지 못 하리.

바람에 운명이 내맡겨진 낙엽의 특징은
과거로 되돌아가고 싶다는
미련의 감정이 전혀 없다는 것이다.

눈앞에서 가물거렸던 풍경 사라진 지금
이젠 엄숙한 정적만이 공기로 감싸고 있다.
한줄기바람 나뭇가지 흔들어
열매 하나를 땅바닥에 데굴데굴 굴린다.

가을은 그동안 땀으로 가꾸며 보살핀 수확의 계절
경작이 끝난 방향은 과거
다음의 진행 방향은 미래
관찰자의 눈에는 보통의 눈들이
보지 못 하는 사유의 접근성이 있다.

4

느티나무 아래에서 서성거리는
저기 저 키 작은 사람 혹 바보 아닐까?
누군가를 기다리고 있는 걸까?
허파에 바람이든 실없는 해해 웃음으로
저 혼자 즐거워했다
우물쭈물 사지를 움츠렸다
어떤 때는 울상으로 낯빛을 바꾸기도 하니
정신이 모자라는 엉뚱한 사람인가 싶기도 하다.
예를 들자면 허영심으로 가득 채워진
또는, 술에 취해 정신을 잃은 사람 같기도 하고

알다가도 모를, 이해가 되는 듯도 한
이상한 행동이 참으로 모호하다.
물어, 물어 알게 된 그 남자의 정체
장애인 딸을 돌보는 홀아비란다.

몸이 성한 자녀들 기르는 문제도
보통 힘겨운 게 아닐 터인데,
혼자의 부성으로 장애인 딸을 돌본다니
얼마나 힘들게 고달플까?
이제야 비로소 그에게는
외부의 관심어린 은성을 넘어
친딸처럼 돌봐 줄 아내의 도움이
절심할 것임을 깨닫는다.
성(性)이 어느 쪽이든, 장소가 어떠하든,
계절의 꽃들이 어떤 향기를 발산하든,
늘 누워서 지내는 딸아이가
발목 차는 개울 속 송사리를
아빠와 함께 즐겁게 잡을 수 있는 날이
한시바삐 임하기를 손꼽아 기다리는
그 자유의 만족을 선물로 받았으면 한다는
읍소의 기도를 날마다 올릴 그에게서는
그 감촉, 그 냄새 편히 맡을 수 있는
그 소원을 여는 열쇠를 가지고 있지 못 하다.

기적? 신을 향한 신심이 두터운 만큼
성품이 흠결 없이 순결해야
은총을 입을 수 있다는 선택의 기적은
자나 깨나 환자에게만 붙들려있어

자신이 누구인지
정체를 잃은 지 오래인 그로서는
자욱 안개에 가려져 넘볼 수 없는
죄인은 들어갈 수 없다는
종교의 그 거룩한 세계
아무리 둘러봐도 아무것도 찾을 수 없는
머나먼 소문의 신비에 지나지 않을 것이다.
세상은 겉보기와는 달리 보편하지 않다.
그러기에 인내가 중요하다.

5

지금은 나의 존재, 지나간 어제는 죽은 나
내일은 또 새로운 자기로 태어나는 날
태어나는 것은 죽음에 향해 있고
이 반복의 누적이 인생을 형성하노니.

남을 경계하는 경직이 극도로 높은 자는
자기 자신이 될 자격조차 없노니
나만의 신변보호로 담을 쌓았는데,
누가 안부를 물으며 일을 도와주겠는가?
어떤 교육을 동원하여 자녀를
키우느냐 하는 것은 부모의 책임에 달려있고,
무지가 판을 치는 곳에서는
뛰어난 지혜라 할지라도 아무런 쓸모가 없노니,
물고기는 언제나 입으로 낚이듯이
인간도 혀의 말로 운명의 성패가 갈리느니라.

자신에게 엄숙한 사람은

입이 조심스러워 약속을 적게 내고,
몸소 나가는 실행은 많이 한다.
시중드는 사람의 태도가 공손하면
어떤 음식이라도 좋은 음식이 되나,
술이 머리로 들어가면 비밀이
밖으로 새어나온다.

생사(生死)에는 그런 의미가 숨겨져 있다.
따라서 지금이라는 시간을
한량으로 보내지 말아야 하리.
사계절환경이 그때마다
다른 생기를 불어넣듯
변화를 부정하지 말고,
변화하는 것도 긍정하는 것이
집착이나 망상을 버리게 하는
원래의 자기 자신이 나타나기 마련이니라.
보고픈 사람은 출발 전부터
정다운 미소를 머금게 한다.

그는 사실 그린비(그리운 남자)는 아니다.
한마디로 주변의 영향력이 미미한
시답지 않는 촌 노인 인물이다.
진달래 꽃잎 생체로 씹다
바짓가랑이 걷어붙인 개울에서
그물로 잡은 물고기로
술안주 삼는 그런 노인이다.

삶은 내게

1

삶은 내게 말과 글을 주었다.
빛과 어둠을 교차로 맞고 보내는
다양한 계층의 사람들의 생활상과
특히, 좌우로 치우치지 않도록
나의 영혼을 악에서 보호하며
길 없는 울창의 숲 지대를 지날지라도
머리털 하나 상하지 않도록
평안으로 인도한 그 감사들을
시로써 표현하도록
삶은 내게 말과 글을 주었다.

일을 마치는 시간이 생명으로
정해져 있지 않은 나는
탐욕으로 비대해지는
시를 쓰지 않을 것을 약속한다.
소문 없이 그늘 짙은 협곡을 걸을 지라도
비록, 안개가 나의 양식이 될지라도
정녕, 시를 사랑하는 정신은
잃지 않을 것이다.

2

색 바라진 지난날들의 추억들
내 학생 때 공책에 꾹꾹 눌러 새겼던
이름 석 자, 이젠 원고지에 쓰여 지고 있구나.
그 언제던가?

두고두고 볼 수 있기를 기대하고
검지 끝으로 쓴 모래 위 이름 석 자
밀물에 씻기는 광경을 목도해야만 했었다.

나의 시에는 이성과 감성이 실려 있다.
기쁨과 슬픔을 아우르는 의대의 시로써
고난과 아픔을 달래주는 시로써
생동이 넘실대는 만물과 교제를 나누며
아침 일찍 백발노파가 대비로 쓸어 모은
샛노란 은행낙엽의 내음을 맡으며
하늘에 닿아있는 사다리를 오르내린다.

어떤 명성도 원치 않는 나의 시는
있는 그대로, 참으로 믿는
고동치는 핏속에서 흐른다.
무형의 시원인 유형만을 바라보며
별일 아닌 시어(詩語)로 만족해한다.

이것은 단지 읊조리는
한편의 시가 아니다.
충만하여 멈출 수 없는
뼈에 뼈의 노래이다.
나의 텅 빈 가슴을 채워주는
인생 다 산 듯 포기에 늘어진
침륜을 안고 사고가 통제되어
아무것도 깨지지 않고
아무것도 날아들지 않고
아무것도 느끼지 못 하는

오래토록 누워 지낼 때
창가를 두드리는 아침 태양조차
나의 무딘 신경을 깨우지 못할 때
하나의 전류로 통하는 손길을 내밀어
시름을 풀어주는
나의 영원한 대의의 노래이다.

3

동이 트는, 종이 울리는 새벽
황금빛 불타오르기 시작하는 하늘
그 붉은 빛발 희망을 찾아 떠나게 한다.
나 홀로 외로이 도망자처럼
밤새 이슬방울이 알알이 맺힌
수풀을 헤치며 바지가락이 젖는 거 잊은 채
아무것도 쥔 것 없는 빈 손 채로
어디론 지로 향해 간다.

가장 선명하게 밝은 이 시각
가자, 무한한 내일을 향해!

길을 걷다 적당한 장소가 정해지면
움막을 세우겠다는 의지를 알고
그리로 안내하는 두 다리 힘
내일 일 모르기에 의지 담은 불꽃을
미지의 하늘로 쏘아 올린다.

햇살이 가득 빛나는 평원
누구의 숲인가

순환하는 공기 맑고
멀지 않는 호수안개
옅게 드리었다
고요를 타고 사라진다.

생명의 숨결이 넘실거리는 평원
누구의 숲인가.
순백한 푸른 미소
멀지 않는 호수안개
잠시 떠 흐르다
햇살을 타고 사라진다.

오늘을 걷자!

1

첫새벽 적막한 대지로부터 터온다.
문전에서 들려오는 용모 단정한 감미
새삼, 애정 어린 모반(謀反)에 놀아나며
귀중한 시간을 헛되이 흘려보낸
그 애통을 개심(改心)으로 일깨우는
이슬의 여명 눈시울 적신다.
지혜로운 생각으로 나를 이끌
광명의 시혼(詩魂)이다.

오늘은 나의 생애에서
가장 힘이 넘치는 젊은 날!
나는 항상 현장에서 일을 한다.
얼마나 감사가 넘치는 축복인지
감회가 늘 새롭다.
누구는 새파란 이십대 젊은인 데도
칠십대 노인처럼 기력을 내지 못 하고
세월 주름 늘어진 누군가는
그 나이 무색하게 청운의 꿈을 안고
현 시간에 심은 모종에
흙을 덮고 물을 준다.

아침은 하루 시작
성장을 이끄는 소중한 시간
나는 사람으로서 이아침
햇살을 맞고 있다.

사람으로서의 사람의 축복과 사귀며
발전을 도모하는 기쁨을 만끽한다.
무엇보다 맑은 샘물을 분출하는
깊은 영혼을 시들게 해서는 안 되리.
청춘을 늙게 하는 적은
하늘이 준 기회와
지리적 이점을 살려내지 못 하고
자만의 유혹에 놀아나는 지리멸렬
대응력을 떨어트리는 행태는
자신에게 피해를 입히는 것.

어제 해 오늘 다시 보는
새로운 건 없는 사계절 순환의 이 땅.
기다리는 내일은 미지의 우상세계.
그 불확실성을 깨트리는 원칙은
내 청춘 바치는 푸른 열정.

인생은 생방송
그래서 아무렇게나 살 수 없다.
가장 굵은 가시에서 꽃을 피워내는
선인장처럼 인생은 쓴 약의 고통에서
자신의 정체성이 확립되고
그 정체성은 미로를 여는 탐구의 여정.
영감과 끊임없이 교감 나누는 시류.
지난 과거는 어제에 묻고
오늘을 걷자.
이익이야, 손해냐 잠재적 득실보다
재능을 키우는 최선으로 존재의 희망을 띄우자.

잠자는 영혼은 실상의
의기를 잃은 사람.
만물은 보이는 그대로가 아니라,
그 기저에는 눈물로 씨를 뿌려야만
곡물을 거둔다는 엄중한 진리가 있나니,
오늘보다 더 나은 내일의 삶을 걸고
우리가 나가야할 앞날은 멀고 험하나
지구력을 키워 이기고 또 이긴
종착지에서 받게 될 상금은
명예를 높이는 축복이리.

하늘이 지명해 내린 선택은,
그대에게만 주어진 고유의 生.
그 지각을 살려 그 방면의 지경을 넓히라는 섭리.
그 사명을 이 핑계 저 이유로 등한시한다면
그대 인생은 한없이 구르는 내리막길.
비참한 시종으로 내려앉을 자초의 패배.
지금 이 순간의 결정이
내일의 나를 이끄는 원동력임을 깨닫고
목적 성취를 향해 오늘을 걷자!

아침에 눈을 뜨며 어제 마치지 못한 일이
머리맡에서 기다리고 있다는 것은
삶의 의욕을 지속시키는 저력이라 말하는 그대
물음표가 둥둥 떠다니는 허공과는 거리가 멀리.
환경적으로 새로운 공기는 아닐지라도
몸에 밴, 손에 붙은 일로 나이테를 채워가는 그대
심중을 떠보려 홀리는 연서를 보낸 연인에게 과연

어떤 답장을 낼지 자못 궁금하도다.

그대만의 창의력으로 운명을 개척하라.
샘물은 퍼 써야 마르지 않고,
지혜는 쓸수록 총명 빛 밝아지나니
작은 움직임은 큰 그릇 준비
해발이 높은 산도 낮고 낮은 평지 위 구릉
바람을 해치는 활력으로 내 길을 열자.

그대는 전지전능한 하늘의 신이 아닌
이 땅의 소산물을 먹는 유한의 피조물.
우리와 똑같은 육신을 입은 성자도, 현자도,
위대한 과학자도 국민적 칭송을 한 몸에 받았던
정치인, 예술인, 교육자들도 시간제한 속에서
자신을 일으켜 세워
위인들의 반열에 오르지 않았던가.
모래 위에 남겨진 그대 발자취는
내일의 누군가가
인생의 맛을 잃은 어떤 사람이
꿈을 접고 시름에 잠긴 사람이
나태의 게으름에 놀아나는 사람이
정신건강을 잃고 이리저리 헤매는
그 누구의 영혼에게 안내의 길잡이가 되리.

그 사람을 생각하면
가슴은 목이 메여 말문부터 닫힌다.
병든 환자처럼 기력을 잃고
땅만을 내려다보고 있기 때문이다.

세월은 간다.

앞으로 나아간 만큼 뒤로
사라지는 것이 인생
그 인생을 바르게 보려면
잠자리 편안해야 하고,
그 포근한 잠을 안식의
행복감으로 지켜내려면
심경부터 괴롭히는
번뇌를 잊어야 하리.
하나, 아직 하늘의 별이 사라지지 않은
새벽잠에서 깨어나자마자
일상과 티격태격 다퉈야 하는
오늘의 현대인들
지친 심신 웃음의 찬미가 풀어준다는
이 장수의 꿀잠 누리는 수
과연 몇이나 될까.
길 잃기 쉬운 얽히고설킨 밀림지대에서
불시에 달려들 짐승으로부터
자신을 보존하는 다툼을 불사하는
악을 질러야만
그나마 할당된 상품을 팔 수 있다는
초조의 긴장에 쫓기는
그 긴박감의 입에서 쏟아내는 비말은
감투자리 빼앗기거나 놓쳐서는 안 된다며
악바리 욕설로 경쟁자를 내치는
혈안이지 않은가.

2

죄질의 방향은 범행
악성은 인간성 파괴
날로 쌓이는 악감은 인간일 수 없는
풀싹도 틔워내지 못하는
콘크리트 바닥.
나라는 병 들어도 한 팀인 우리는
수단방법을 다 모아
반드시 이겨야만 한다는
우월의식에 놀아나는 어른들을 본받아
어린아이들도 일찍부터
검은 세력에 물들어
고삐 풀린 망나니 폭주의 머리 뿔
괴성을 지르면서
들이박은 인체를 쓰러트린
죄과를 회피하려
멀찌감치 달아나기부터 하지 않는가.
참으로 무서운 세상이 아닐 수 없다.
이러다 나라 구석마다에서
뇌가 망가져 아무 데서나 스러지는
'좀비랜드' 인류를 보게 되지 않을 런지
태산 걱정에 잠이 설쳐진다.

건전한 이성을 잃은 병든 사회
인간들의 온갖 죄악들이 마약에 취한
황홀경의 지그재그로 저토록 날뛰는 데도
신자들이 예배 값으로 내는
성금(誠金)을 받는 신은

대체 무엇을 하고 있단 말인가?
에덴동산에서 쫓겨난 인간의 타락 세상을
관할의 지배에서 밀어냈다는
방관의 묵인으로 덮고만 있으니
각종 범죄가 끊이지 않고 있다.

하늘을 원망하고 사람을 탓하는
볼멘소리가
한시도 그치지 않는 야만의 이 땅
망국을 쏟아내는 험상궂은 성질은
나는 강자가 아닌 약자라는 대변
솔직히, 그런 한 맺힌 서러움을
내뱉는 입술 자는
자신의 경지(境地)는 적대자로부터
빼앗긴 것이라며
두고두고 사회나 천지를
부정 심으로 바라본다.
정말, 명암이 갈리는 행·불행은
내 스스로 도모할 수 없는
영역 밖 외부의 절대적 영향에서
밀어지는 걸까?
그래서 종교심을 가진 사람들이 그토록
신의 경배와 기도에 매달리는 걸까?

3

반 지성의 썩은 밧줄을
아득바득 움켜쥐고
출세로 이끄는 권력자를 향한

위장의 충성을 업은 이면으로
그를 지켜주겠다는 과도부리
특권 의식과 자기 망상에 사로 잡혀
그의 보좌를 넘보며 삼키려드는
하이에나의 경계를
약삭빠른 쥐의 영리로
요리조리 막아내면서
이념의 갈등을 부추기며
국민적 분열을 이간하는
인간성 틀려먹은 후지고 구린
저렴한 삼류 정치꾼들,
얼핏, 우월한 호감의 영웅처럼 돋보이나
내공 없는 빈 깡통 소란만 떠는
철 지나면 사라질 떴다 방 인물들
가증하기 짝이 없는 흑막의 기득권층
회전의자에 깊숙이 눌러앉아
이해득실을 셈하다
자기 손으로 돈 벌고
열심히 사는 일반서민들을
하대로 대하면서 가르치려고만 드는
허수아비 권세 자들
나라 기강 허해지는 현상
캄캄하도록 한심하도다.

진리는 물 위의 기름처럼
구분이 명확한 데도
진실과 정직을 농락의
거짓으로 둔갑하여

남의 것을 무차별 착취하는
허세부리 반사회적 선동을
기질성 매력이라 떠 받들며
그 수컷의 정자를 받고 싶어
안달 쓰는 어쭙잖은 여성들
그런 남자 뒤에서
동물적 생식을 부추기며
성취감을 느끼려 하는
허황된 여자가 있다는 정설
부정을 하고 싶어도
부정할 수 없는
우리의 자화상이다.

착한 사람을 꼴찌로 밀어내는
인간성 부실 시대
켜켜이 쌓인 비뚤어진 내면의 폭발로
편안한 나의 공간을 깨는 성난 물결.
진정, 이성을 잃은 패대기
사회가 아닐 수 없다.
득세의 사기에 돈을 빼앗긴 고통을
옥상에서 뛰어내린 결말로
증언을 대변한 젊은이
한 생명을 경시로 내던져버린
무책임에 혀 맛이 쓰다.

사람은 어떤 마음가짐으로
골목 환경에 임하느냐에 따라
사연의 분위기를 다르게 본다.

나를 망하게 한 원수 놈은
그 누구도 아닌 나로부터
일어났다는 실상을
지각으로 깨닫는 지혜 자에게
하늘의 복이 임하기를 빌어마지 않는다.

남아도는 시간을 때울 셈으로
수많은 군중 속을 무단 넘나들며
이 사람 저 사람들에
안면을 파는 분주 자는
활동량이 많아 보이나,
그로 인해 잃는 것은 심성 메마름.
귀를 먹먹케 하는 시끄러운 굉음은
선잠을 깨워 이리저리 뒤척이게 하고,
잠 부족의 신경과민을 자신 학대로 키워
그 현상을 초목이 푸른 철인 데도
이파리 하나 없는 시들 세상이라 생떼 쓰고
옳고 그름의 분리가 올올하지 못한
광기(狂氣)에 놀아나는 우행(愚行)자.

직립보행으로 교분을 나누는 사람은
표면 뒤로 숨 쉬는 맥박의 속성을 빼면
높고 낮음 없이 평등함을 알 수 있다.
그 사람들은 환경 감정에 맞추어
무섭게 사나워지기도 하면서
순한 양의 성품을 드러내기도 한다.
감정적인 사람은 감정에 치우치고
정체성을 잃어 자신이 누구인지

정서로 알지 못하는 사람은
고상함의 기단인 사이 균형의 인격골상이
정상적으로 연골 되어 있지 못하여
아무 때든 연민의 은혜를 망각한
증오의 사고를 일으킬 수 있고,
종교에 대하여 눈물이 헤픈 사람은
실상, 신(神)을 향한 사랑을
갖추지 못한 인종이다.
'인지부조화'(개인이 가진 신념과 행동 사이의 부조화)에 사로잡혀
단상에 선 사이비교주가
흘려내는 혀의 말을
자의적 분별없이 곧이곧대로 믿을 뿐
사람의 죄질을 신성(神聖)의
방패로만 지키려는 그들은
결국에는 구원과 무관한 강포를 퍼트린
그 구부러진 혀의 올무로
하늘의 심판인 패망에 이르리.
신분의 위상이 낮은 만큼
삶이 불안정한 무명자들이
하늘보좌의 은혜를 간구하는
거룩한 장소라 하더라도
선악을 가릴 줄 모르고
무작정 덤벼드는 맹신의 골수는
진정, 이 땅의 해악이 아닐 수 없도다.

성장하는 뇌는 동시에
중독에 취약하다는 데,
자기력으로 옳고 그름의

판단을 갖춘 인수
왜 이다지도 적은 걸까?
자신의 부적절한 행위를 깨닫고
명철을 얻는 바른 교훈에
귀 기우리는 자
왜 이다지도 찾아보기
힘든 걸까?
신사적 존경심 저 멀리 달아난다.
번뇌에 잠긴 근심에게는
재앙의 생각만이 유일한 낙.
참는 인내 한계에 다다라진다.
　'사망아, 너의 승리가 어디 있느냐.'

일상의 사소는 화려하지 않다.
우러러 볼 일이 아니다.
그러나 좌우로 치우치지 않는
성실한 인내로 다져진
그 여운의 양광(陽光)이
인지상정의 미소를 짓게 한다는 사실
왜 저리도 깨닫지 못 하고
찢어질 천 자락만 부여잡고 있는지
알다가도 이해가 막힌다.

즐거움 끝에도 근심이 있고
상대를 다치지 않게 하는 행동이야말로
겸양의 자상이다.
종교의 신심이 깊은 사람들에게서
자주 볼 수 있는 친절이다.

친절의 힘은 아픈 데도
그 아픔을 잊게 한다는 심리 위안이다.
선행에도 여러 모양의 색깔이 있다.
성경의 가르침대로
  '오른손이 하는 것을 왼손이 모르게'하는
감춰진 꽃 봉우리이어야 한다.
사람보다 하늘만 알게 해야 하는 것이
참 구제이다.
진향의 매력은 온유이다.
온유는 하늘 문을 열게 하는 지름이다.
한창 시절의 꽃은 미의 보배이다.
그 아름다움은 정형화로
정해져 있지 않다.
가슴이 울리도록 빨리 와 닿는
인향(人香)의 행복은
인색할 정도로 절제된
선한품행에서 우러난다.
정 붙임이 소소한 이런 사람들 덕분에
세상은 그나마 살아보겠다는 소망이
살아 숨 쉬며 있다.

4

명예는 집안의 가문이다.
그러나 지켜내는 과정은
말처럼 쉽지 않다.
예상하지 못한 숱한 난제들이
고유한 인격을 농락하며
방해를 놓기 때문이다.

이의 대처가 미숙하거나,
물때를 만난 욕망의 이기심에 사로잡혀
이성을 잃었을 경우에는 나락의 예비로
그 목적 성취 후 따라 붙는 고달픈 시련은
상상을 초월한다.
냄새 좇는 파리 떼들이 헹가래 태워
권좌에 올라 한 시대를 호령했다한들
그 세도기간
개인의 성향에 맞춘 정책들이
훗날 국민적 비난에 몰리는 것이
우리의 현 정치사이다.

나라가 조용하지 못 하고 어지럽다.
두 쪽으로 나뉜 이념대립의 싸움이 치열하다.
머리띠를 동여매고
땅과 하늘이 울리도록
정권퇴출 시위를 벌이는 노동계
약자들의 생계 권마저 빼앗는
대기업 각성하라 외치는
장애인들의 거리 함성에
사회 정서 날로 거칠어지고 있다.
반대에 반대의 적개심이 맞선 연장에서
정치권에서는 선거승기를 향한
세력을 끌어 모으는 현수막, 전화문자로
여론을 주도하려 하고
그 선거판 복판에서 뛰는 후보자들
개인 연락번호 어떻게 알았는지
자기 소개문자 연일 보낸다.

벨 울리는 육성전화는
열흘 넘도록 깜깜무소식이다.
내편에서 궁금증 풀려는
전화를 했는데도
복식호흡처럼 답변이 통 없다.

사람들이 나를 잊고 버린 걸까?
고장이 나 움직이지 않는 차
버려야 할까?
개나 닭과 다를 바 없이
물고 뜯는 것도 모자라
서로 엉켜 붙어 뒹구는
격렬한 소음공해
어질어질 길을 잃고 말았다.
에라, 시동도 안 걸리는 차
아무데나 내버려 두고
우선 추운 몸부터 녹여볼까.

타인 가슴에 화살을 박는 독설로
정권과 권력을 차지하려는
저속한 무리들이
인성 파괴인 줄 모르고
아우성치는 중상모략
현대판 지옥이 따로 없다.
진영을 갈라
요소요소에 복병을 심어 놓고
시비의 싸움과 증오를 부추기는
비이성 짓거리들

예의 저버린 후안무치 공작놀이가
저들의 신사적 악수라면
난, 어느 누구도 지지 않는
중립을 선택할 것이다.

여론 검증의 세도가 날로 심각하다.
한편에서는 전과 3-4범의 아버지를 둔
그 아들의 도박과 성매매 의혹이
꼬리에 꼬리로 물려 나오고,
그 상대편 후보자는 아내의 학력 위조로
혼욕을 치르고 있다.
이대로는 나라가 바로 설 수 없다.
권력을 쥔 높은 자리에서
공존의 가치를 해친 여러 범행으로
벌써 교도소에 들어 앉아있어야 할
하질(下秩)의 열 꼬리 여우 인물을
호위무사로 감싸고 도는
독선의 86세대들
대수롭지 않는 사소 건을 큰 문제로 키워
정권을 몰아붙이는 운동에 활용하는 버릇이
굉장히 위협적인 기득 층 86세대.
젊은 날에 미국대사관 담장을 무단 넘어
불발 폭탄의 난장판을 벌였던
그 폭력을 발판 삼아
한 시대를 풍미한 그들은
가짜 민주화 깃발로
나라를 파먹은 세력들이다.
무지(無知)의 어런더런 정치로

반미·친중을 안착시켜 인민의 안정보다
살생의 무기개발에 도취된
북한의 위상을 높여준 장본인들이다.
이참에 한 몫 잡겠다며
목 먹는 밥에 침이나 뱉든지
숟가락을 얹어 화라지 떠는
똥파리들이 설치고 다니는 한
이 나라 장래는 어두울 수밖에 없다.
퇴행만을 거듭하는
반목의 나라 꼴 고치는 데,
이 한 몸 밀알로 바쳐
제대로 세워보겠다는
희망의 외침보다
남을 짓밟는 악의의 소음으로
지역감정을 부추기는
개탄의 인물들뿐이니,
인성을 다지는 환경 보호에 적합한
조용과는 거리가 멀 수밖에 없다.
또 하나 문제는 인맥을 특정하고
투표장에 가는 유권자의 태도이다.
이성적이고 논리적인
행동이 현상에 불과한
유권자들의 입정 놀리는 의식 변화가
바뀌기 전까지는 정치권의
어리보기 부정부패
사라지기 어렵다는 비관이다.
울어야 할지, 웃어야 할지
하늘 아래 땅의 사람들의

생명평등을 무시하고
부정적인 욕설만이
난무하는 세상
더불어 살아가는
선덕과 공덕은 보이지 않고
힘 있는 사람들이
약한 사람들을 억압하는
답습의 요지경 세상
유령의 도깨비로 돌고 돌다
선거철을 맞아 미래의
세력 자에 빌붙어
독창성 없이,
정체성 없이,
생각 없이
아부 떠는 비렁뱅인들
준비 안 된 사람에게도
직책이 맡겨진다면
지게막대기에 싹이 피는
기적이 아닐 수 없겠으나,
나라 장래 밑바닥부터
흐물흐물 무너지지 않을지
그 걱정 어디 나쁜이겠는가
어느 장단에 춤을 춰야 할지 모르겠다.

우리는 부끄럽게도
신망 두터운 대통령을 두지 못했다.
자랑으로 소개할 대통령과는
거리가 멀었다.

국가의 큰 불행이 아닐 수 없다.
국민적 악몽의 팽창으로
바깥나들이도 쉽지 않았던
군벌 출신의 옛 최고 권력자
아무나 드나들 수 없는
이중 삼중으로 경비가 센
담벼락 높은 궁궐 안에서
곧 나라 기틀이 되는 정책을
선포한 것은 물론이고,
모든 위정자들도 큰 절로 굽실거리는
최고의 예우를 받았던 철권시대에
인명 피해 컸던 광주항쟁 문제 건
끝까지 풀지 않은
전직 대통령 또 한 분이 서거하셨다.
극에 달해있는 최악의 여론으로
장지(葬地)를 정하지 못해
이년 넘은 지금까지도
유골을 집안에 모셔두고 있단다.
가슴 아픈 일이다.

5

아무런 연고 없는 낯선 타향에서
태권도도장을 연 어느 날
인상 고약한 양아치 5명이 무단 침입하여
  "어디서 굴러먹던 놈인데,
신고 없이 영업을 하는가?"
라는 거친 말투로 시비를 걸어왔다.
건드려보고 겁박부터 치고 드는
이따위 쓰레기 건달들은

함께 움직이는 패거리 배후를 믿고
함부로 까불어 대는 성향이 높다.
센 한두 명 쯤은 끼어있긴 하나,
아무 때나 짖어대는 똥개처럼
섣불리 나서는 놈들 치고
파괴력 강한 놈은 드물다.
눈알을 부라리며 금품을 뜯어내는
수준이 고작이다.
관장은, 시답지 않는 놈들을
내리 까는 비웃음을 흘리며
주먹맛이 어떤 것인지
본 떼를 보여주겠다는 이를 갈았다.
그는, 태권도5단, 합기도3단,
유도3단의 실력을 갖추고 있다.
말하자면 온갖 운동으로
체력을 다진 몸매자이다.
한때는 청와대경호원으로
근무한 적도 있다.
그는, 놈들의 난데없는 등장으로
끊긴 일을 생각해서 단번에 해치워
쫓아내자는 속셈을 굴렸다.
그는 먼저 넓은 곳에서
한바탕 붙자는 제안을 냈다.
그 싸움에서 내가 진다면
이 동네를 떠날 것이며,
반대로 너희들이 지면 내 도장에
다시는 얼씬 거려선 안 된다는
조건을 내걸었다.

불량배들은 서로를 돌아보며
고개를 끄덕였다.
동네아이들이 축구놀이를 하는 공터
그는, "너희 다섯 놈 한꺼번에 덤벼라."
라는 강한 어조로 자신감을 드러냈다.
주먹을 불끈 쥔 5인은
꼬랑지머리 1인을 감싸고
누구는 권투 식 쨈의 흉내로
누구는 말의 뒷발질 모양으로
상대를 조롱하는 탐색을 펼쳤다.
관장은, 등 뒤에서 달려든
첫 번째 놈을
주특기 뛰어 옆치기로 걷어찼고,
두 번째 놈은 허리춤을 잡자마자
업어치기로 바닥에 눕혔다.
최소한의 거리를 두고
막고 치는 와중에
그때, 따끔한 느낌이 배 부위에서
섬뜩 느껴졌다.
보니, 주름의 작은창자가
배 밖으로 빠져나와 있었다.
틈새를 노리고 있던
어떤 놈의 칼날에 깊이 베인 것이다.
관장은, 두 손으로 물컥한
창자를 받쳐 들고
입으로는 "덤벼라. 어서!"하며
기세를 더욱 부렸다.
불량배 5인은 저런 위급에도

물러서는 항복을 않는
독한 기질에 그만 기겁을 먹고
줄행랑을 쳤다.
관장은, 그 몸 상태로 병원을 찾아
자진 입원을 마쳤다.

6

머리카락 한 올 없는
남성 암환자
그는 자기 순서에
다른 환자가 새치기했다며
고래고래 소리를 지르는
상식 밖 행동으로 병원복도를
쑥대밭으로 만들었다.
뭔가를 잘못 보고
오해한 것이 분명하나,
환자는 직원을 향해
화풀이를 이어간다.
나잇살 먹은 노인의 우기는
안하무인?
그 장소의 몇몇 사람들
  '어머, 왜 이러지?
죽을 때가 다 되었나?'
라는 표상을 그려냈다.

그 줄에 함께 섰던 여성 환자
원장과 마주앉아
방금 일어난 일을 해명한다.

"아무도 그 앞을 새치기
한 사람 없어요.
어디서 기분 나쁜 일을
접한 뒤인지
제 화기에 소리를
질러댄 거라고요.
저도 옛날에는 한 성격했어요.
그러나 암에 걸리고 나니
웬만한 일들은 대수롭지
않더라고요.
병이 혈기 진을 뺀 건지
지켜보는 훈련이 강해져
웬만큼 큰일이 생겨도
죽고 사는 당면의 문제가
아닌 이상
눈 하나 깜짝 않게 됐걸랑요."

기억의 아픔을 안은 아이

1

꽃 피기 전 삼월 중순
그 신춘(新春) 건너 뛴
초여름 기온에
겉옷 벗어 팔에 걸친 상춘객들
한 아이만은 외톨이로
빛 한 점 들지 않는
음습한 계단에 쭈그리고 앉아서
좀처럼 풀리지 않는
분의 한숨을 연시 내쉬며 있다.

학력진급과 함께
담임선생님도 바뀐 새 학기.
그 설렘 즐길 여백 없이
아이는 안정을 잃은
머리통을 감싸진
그 거친 손으로
허벅지를 꼬집었다
때려다를 반복한다.
전해, 같은 반 일당으로부터
기분 나쁘게 째려본다는 이유로
뺨, 어깨, 배, 허벅지를 무차별
맞은 적이 있다.
이후에도 걔는 지속적인 욕설과
죽으라는 악담을 퍼부었다.
영상통화로 낯 뜨거운

성희롱 놀림을 넘어
수시로 지갑을 빼앗아
털어가기도 하였다.
그렇게 삼 개월을
끙끙 견뎌낸 아이는
분명, 또 당할 봉변을 내다보고
학교에 피해 사실을 알렸다.
학교심의위원회에서 내린 결론은
가해자의 전학처분이었다.
그렇지만 징계처분을 미뤄달라는
가해자 가족들로부터
집행정지 소송 건을 접수받은 법원이
시간을 하염없이 길게 끈 탓에
아이는 앙금 깊은 깡패 놈과
격리 3일을 뺀 반년 수업을
60㎡ 교실 공간에서 더 들어야만 하는
곤욕을 맞이하게 되었다.
피하고 싶었던 시간이
통한의 무기로 등장한 것이었다.
한마디 사과도 없는 그 일당과
졸업 때까지 언제든
마주하게 되었으니
울렁울렁 뛰는 정서위기에
잠을 이룰 수 없는 지경이다.

평정을 잃은 아이는
자기 외에 아무도 없는 데도
  "맞기 싫으면

어서 돈을 가져와라!"
라는 누군가의 협박성
환청을 듣는다.
무서운 불안공포
사지를 떨게 한다.
되씹는 원망은
앞이 보이질 않는
캄캄한 밤일뿐이다.
바람이 없는 데도
나뭇가지 흔들린다는
착각의 불안증은
사물을 정상으로 보지 못하는
수면장애에 시달리게 한다.

2

불량한 자는
맹렬한 불을 쏟아내고
악한 자는 반역 꽤만 굴리고
패역한 자는 이간질로
친구 사이를 갈라놓고
위협 성 강한 악인은
진노를 불러일으키고
다툼의 소지를 안고 있는
좁은 마음에서는
남을 배려하는 선심이
생성될 리 만무하고,
머리 쓰는 속이 훑벌 하여
그 샛눈도 게슴츠레한 사람은

발등상에 내려앉은
먼지만을 고작 볼뿐.
그렇게 시야 폭이 좁으니
내다보는 거리가 짧을 수밖에…

이런 사람 왜 그리 아집이 무모한지,
5분 기다림을 참지 못 하고
발을 차고 일어나 버린다.
성질머리가 지딱지딱하여
들쑤시는 방해거리로
일을 망치기 일쑤인 이런 사람은
또한, 저만 감싸드는 이기심
어찌나 강한지.

돼지 코에 걸린 진주는
사치 부리는 여인이
먼저 알아보고
쇠는 용광에 녹고
의인의 혀에서는
삶을 일깨우는 지혜가 있고
의인은 환난을 당해도
하늘이 구원하고
지식은 길을 인도하고
공의의 길은 곧고
공평한 추는
내일에 기대를 걸게 하는
신뢰를 남기고
악의 없는 성품은

하늘 축복에 가깝고
후덕 앞에는 은혜를 입은
겸손한 자들이 둘러앉고
빛에 의해 그림자 드러나듯이
사람의 인자는 사모의 대상.

좋은 의도는
좋은 습관을 길러주나니
의지작용이 목적을 좇는
행동을 불러일으키듯이,
사람의 복은 힘을 놀리지 않는
체온의 땀
그 기회조차도 시간이 지나면
함께 소멸되는 법.

사람은 어떤 마음가짐으로
환경에 임하느냐에 따라
속내 분위기를 다르게 본다.
나를 망하게 한 원수 놈은
그 누구도 아닌
나로부터 비롯되었다는 참회를
가슴 치며 깨달은 지혜 자에게
하늘은 복에 복을 내리리.

3

네 인생을 부정으로 검게 보는
감정에서 눈을 돌려라.
네가 받은 축복의 순간순간을

기쁨으로 누려라.
좋은 나무에서 상품 가치 높은
열매가 수확되듯이
인체 건강은 좋은 감정을 부풀리고,
내다보는 안목의 시야가 넓으면
굳이 무엇을 캐려하지 않더라도
교류 통하는 정감 깊어지리.
피를 나눈 한 형제일지라도
평소에 교분이 없다면
남남처럼 잊은 듯 멀어지는 건 당연.

사고방식을 깨는 역할을 맡은 지식은 요긴하다.
고요한 중심에 놓인 정신은
표상(表象)의 사고를 길러주고
허위를 벗겨내면 급하게 서두르지 않아도
이해하는 염미가 조망을 키우리.

지금은 나의 존재

1

오늘의 주요 뉴스는 생활고에 시달리다
전 남편 사이에서 낳은 초등생 두 아들을 살해한
모녀의 1심 이어 2심에서도 징역 20년 선고 확정이다.
앞가림 할 나이에 겨우 이르렀을 두 형제는
열무 한 단을 사면 몇 끼니 반찬이 될까 셈했을
그 엄마 손에서 생명이 거두어져 존재를 지웠다.

나로써 나를 만드는 과정은
누구에게나 쉽지 않는 도전이다.
고아의 홀로 서기에는
싸늘한 사회적 편견이 가장 무섭고
실패의 가장 큰 원인은
실수로 넘어진 자리에서 일어나지 않고
그대로 머물러 눌러앉는 단념이다.

나는 누구인가?
삶의 숨결을 잃고 자학의 수렁에서
헤어 나오지 못 하고
주어진 나의 시간을 놓치고 사는
인생이 아닌지 돌아볼 일이다.
나이 많은 연륜무게로
회상의 저울질을 해 본다.
버려진 종이 한 장도 바람을 타면
공중을 펄펄 날면서 존재를 과시하는 데,
삶을 이끄는 한 갓의 욕망조차 나태에 맡기고

허구한 날 무엇을 보기는 하나
실상은 아무것도 보지 못하는
초점 먼 시야로 세상은 낙 없다
한숨만을 내쉬니
나에 나 한심하기 짝이 없다.
삶을 내려놓았다는 건
그나마 누렸을 한때의 생을
망각하고 있다는 뜻.
이 땅에는 길은 많아도
내가 걸어야 할 길은 오직 한길
눈앞의 한길조차도 찾아내지 못 하고
한기 찬 가슴으로 오늘도
이리저리 헤매는 비몽사몽
그럼에도 시간은 무덤덤하게
속절없이 지나고 있다.

지난날들의 온갖 경험들이
오늘의 나를 형성한
생질의 전부가 아닐지라도
인생의 정신력을 파먹는 시름은,
오늘의 나를 죽음으로 몰아넣는 것.
사는 건지 죽은 건지 알 도리 없이
겨우 숨결만은 내쉬는 사람은,
암울한 골짜기에서 헤매는
신세 면치 못 하리.

사람에게는 두 부류의 인물이 있다.
앞에 놓인 밥으로만 사는 육의 사람과,

"이 땅에 정의로운 나라를 세우소서."
라는 기도를 날마다 올리는 영의 사람이다.
전자의 일상 용언은
　"밥 먹었니? 오늘 건강 어때?"이고
후자의 용언은
　"산소가 맑은 자연에서
새로움을 배우라."에 모아져있다.

2

오랜 경륜으로 쌓아올린
관록의 지식은
자신의 운명을 긍정으로
확대해 나가나,
내용이 궁핍한 사고는 공허하고
개념이 없는 직관은
맹목적일 수밖에 없나니
초인이란 현재의 고난에 굴하지 않고
자신의 가치를 창출하는 사람.
목적이 분명한 이런 인물은
바랄 수없는 중에도
좌우로 치우치지 않고
고상함의 기단인
사이 균형을 맞추는 데
상당한 주의를 기우린다.
이런 사람의 특징은
높이기도 낮추기도 하는
하늘의 신원보증에
큰 비중을 두고 있다.

흐르는 세월은 우리들의 지각을
성숙으로 일깨운다.
그동안 나의 부족으로
채우지 못한 미숙
그 주인인 내가 채워 넣지 않으며
누가 하랴.
장작불 활활 타오르면
눈 매운 연기 사라지듯이,
신체 작용인 정신 불 살아있으면
미래 전망 밝으리.

기쁘게 반가운 사람들과의
식사는
그야말로 피와 살이 피는
양식이 아닐 수 없다.
진수성찬이 따로 없다.
특별할 것 없는 굴 떡국에
김치, 동치미뿐인 데도
한 술 양 두 술 양
어느새 널린 식탁의 빈 그릇들
이토록 흰쌀밥만으로는
불완전한 아미노산을
단백질로 보충해지는 혈액순환으로
신체건강을 높여주는
즐거운 음식 대화
소화를 내리는 시간에 맞춰
차 마시며 주고받는 소소한 일상 덕담
생활의 활력을 키워준다.

3

나는 능력을 마음껏 발휘하는
자유를 수호한다.
자유인은 첫째 무엇에든
거리낌이 없어야 한다.
담력이 세 진다.
나로써 두려움을 불러들이는 원인은
언제까지나 붙들고 있는
미련의 집착 때문
친구의 위상은 날로
하늘을 찌르는 데,
나의 처지는 예나 다름없이
구멍가게나 고작 지키는
수준을 면치 못하고 있다는
상대적 비견이
곧 자유를 잃은 침륜이다.

항구에 정박해있는 배
출항 전 묶어둔 밧줄을
풀어야만 하듯이,
나의 자유는 나의 힘으로
걷고 뛰는 것이다.
돌부리에 걸려 넘어져도 괜찮다.
다만, 포기만은 하지 말기를 바란다.

만사는 그대로 맡기며
작위(作爲)를 부리지 않고
하잔 주제에 예의를 무시하는 것은

자멸의 원인.
소인은 곤궁하면 주체가 흩어지나
대인은 위기에 직면하면
내성을 다지는 기회로 삼는다.

낯익은 사물은
심리적 평안을 끼치고
경험의 지식에는
미래를 꿈꾸는 창의가 있다.
생각은 해 볼만 하다는
그 무언가의 초점에 맞춰
기존의 틀인 밭을 갈아엎고
다음번 수확에 기대를 걸어둔다.
그대의 일상
혹, 바람결만 스치는
밤이 아닐 런지.
물어보라. 별들에게, 나무에게,
대지를 적시는 물결에게.

진심을 담는 시간은 무겁게 긴 법
시간의 영역은 진행
스스로 미래를 열어가는 사람에게는
시간이 좋고 나쁨의 구별이 없고
존재는 눈을 뜨고 있는
지금 현재.
정서가 메말라 있으면
그 언행 역시도 사납게 거칠어
그토록 축복을 빌어 달라 좇았던

희망 빛
눈앞에서 사라지는 현상을 보리.

과도한 욕심이 불러들인 집안 불행
왜 터가 좋지 않았다 둘러대는지
일종에 넋을 우롱하는
점괘일 뿐인 풍수지리를
심각성으로 믿지 말아야하는 까닭은
인과와는 별개이기 때문.
좋은 의도를 가진 사람의 손길에 의해
잡초와 돌쩌귀 거둬지는
옥토로 바뀌나,
출세 지향의 탐심에 망가진
과오 반성 없이
오욕을 선의로 위장하는
옛것만을 고집한다면
대리석에 비친 제 그림자 반쪽에 놀아나다
해 기운 대기에 흡수되고 말리.

지식이 없으면 말의 힘이 약한 만큼
이해 폭도 좁을 수밖에 없고,
모든 것을 부정하면
재앙이 따라지고
자생력을 다지는 고독은
이해의 문제가 아니라,
직접 체험으로 자기 삶이 돼야 하는 일.
체험은 기량만큼 능률을 높여주고
자기 기준이 세워진 사람은

세상과 협업하는 정견(正見)을 갖춘 사람.

바른 눈으로 세상을 보려면
먼저 마음가짐의
이성이 바라야 하고
주체를 가름하는 힘의 비축은
흔들리지 않는 신심에서 비롯되노니,
포도주는 금이나 은그릇에서는
쉬 익지 않지만
지혜로 만든 그릇 속에서는
아주 잘 익는다네.

사랑도 미움도 없는 사람은 평안하고
심기를 괴롭히는 근심걱정의 갈등은
좁은 우물 안에서 빠져나오라는 암시.
인내는 정체를 깨워가는 내면의 담금
현상은 유형에서 생겨나고
뜻을 둔 형태가 있으며
이용 가치의 작용이 일고
사회는 알게 모르게
유기체로 연결되어 있으므로
나의 원대로의 영역 설정에
별 어려움이 없으나,
목표가 없다면 그저 사는 대로
살게 될 뿐이고,
세속에 찌든 세계를
성스런 종교심의 희구에도 불구하고
어디를 다녀도 평화를 위협하는

전쟁지대라면
차라리 그 세파 복판으로 들어가
그 사람들과 어울려 지내는 것이
합당한 인류 사랑이 아닐 런지.
천국의 문은
기도에 대해서는 닫혀있어도
눈물에 대해서는
열려있음을 상기하자!

제2부

당신은 배려심이 많고 사랑이 많으며 사려도 깊습니다. 나는, 당신보다 내 인생을 함께 살아갈…

가을풍경

1

싸늘한 감촉 가을 향기 짙다.
하늘은 높고 산마다 속살을 드러낸다.
높은 나뭇가지에 얹어진 새 둥지 보이고
줄 다람쥐 낙엽더미 헤쳐
겨울용 식량 도토리 숨긴다.

굽이굽이 물줄기 낙엽을 태웠고,
산에서 내려온 가을바람
가로수 사이를 지나며
사색에 잠긴 여인을 깨우고,
문득 고개를 쳐든 여인
목 두른 스카프 매만지며
수채화 안색을 그려낸다.

세월 저편의 추억을 머금고 있는
울긋불긋 예술자연
활짝 핀 들국화 앞에서
쾌활하게 웃어대는 행복한 사람들
평화의 태양은 마지막 과일에 볕을 내려
결실에 이르게 한다.

가을의 풀
가늘고 기다란 줄기의 은빛갈대
햇빛과 비 그리고 기후의 도움으로
한 무리로 모이었구나.

속이 비어 가벼운 바람에도 흔들리는
흰털머리 갈대
젊은이는 길이를 재는 자로 쓰겠다며
작가는 펜의 용도로 쓰겠다며
연주자는 속껍질로 대금의 청을 살려
음을 내누나.
그렇게 처음부터 끝까지
우리와 가깝게 지냈으니
아낙네 갈대바구니에
무청을 널어 말린다.

                              2

이 남자 날 좋아하나 봐!
잡아먹듯이 무시하며
밀어낼 땐 언제고
며칠 사이
살갗짜린 찌르는
장밋빛 열정으로
청혼을 다 하고…

당신에게 줄 세상이 있다면
당신이 나에게 얼마나
큰 의미가 있는지 보여주기에는
충분하지 않을 것입니다.
대가 없이 내 전부를 바치겠다.

나는, 밤이 어둠을 품고 있는
어둠과 싸우듯이

당신을 사랑하는 것과 싸워야 합니다.
내 사랑!
밤을 넘어 당신을 사랑합니다.
내 인생에서 당신 없이는 살 수 없기에
당신을 만나서 정말 기쁩니다.
그리고 나도 당신을 존경합니다.

당신은 정말 특별한 사람입니다.
당신이 내 삶에 있다는 사실을 생각할 때,
당신을 발견한 것이 얼마나 행운인지
정말 믿을 수 없습니다.
당신은 배려심이 많고
사랑이 많으며 사려도 깊습니다.
나는, 당신보다 내 인생을 함께 살아갈
더 좋은 사람을 찾을 수 없었다는
것을 압니다.
당신은 정말 특별한 사람입니다.
거친 속의 다이아몬드이고
제가 당첨된 행운의 복권입니다.
저를 선택해주셔서 정말
하늘의 은총으로 감사를 보냅니다.

당신은 나에게 모든 것을 의미합니다.
내 삶에서 당신을 생각할 때마다
내 믿음은 점점 더 강해집니다.
이제 나는 영원한 평화와 끝없는
사랑을 찾았습니다.
의지가 될 동반자를 만났습니다.

나는 너를 영원히 사랑한다.
당신은 영원히 내 심장박동
내 삶을 더 아름답고
놀랍게 만듭니다.

우리의 사랑은 영원히 불타오른다.
함께 밤을 보내고 아침을 같이 하자.
여보, 그래요
당신은 정말 멋진 영혼이고,
우리 사이의 거리에도 불구하고
너를 깊이 사랑한다.
너무 사랑하는 당신
내 자신의 가치에 대해
걱정할 필요가 없습니다.

사무실에서의 일은 엇댔나요?
오늘 밤 거기에서 잠자리에 들기 전에
아주 맛있는 저녁식사와
따뜻한 샤워를 하셨기를 바랍니다.
당신의 사진을 보면
매일 당신과 점점 더 가까워집니다.
나도 당신 곁에 서서
당신을 지지할 것이다.

네, 메시지를 통해 소통하는 것은
쉽지 않습니다.
우리 사이의 시차에도 불구하고
우리의 사랑은 장벽을 무너뜨렸습니다.

좀 더 많은 시간을 당신과
얘기하고 싶지만,
나를 향한 당신의 사랑은
나로 하여금
끝없이 마음을 쏟아내게 하며
아직 육신으로 만나지 못한
우리의 마음은
전율로 연결되었습니다.
당신의 사랑은 내 영혼과 영혼을
따뜻하고 뜨겁게 유지합니다.
너무 늦었다는 걸 알아!
아주 멋진 밤을 보내고
좋은 꿈꾸세요.
나는, 너를 영원히 사랑한다.
당신은 지금 곤히 잠들어
있을 거라는 걸 알아요.
좋은 꿈꾸시고 꿈나라에서 만나요.
나는, 너를 영원히 사랑한다.
여보, 정말 고마워요.
내 인생에 당신이 있어서
너무 행복하고
내 심장은 영원히 당신을 위해
끝없이 뛰고 있습니다.
내 인생에서 가장 아름답고
평화로운 순간을
당신과 함께 보내면
달나라에 가고 싶은 기분이 듭니다.
헤헤!

순한 싹

안경 쓴 눈매는 많은 나이로
밝지는 못하나
외부 조건의 이런저런 영향으로
굳게 다져진 표상은
무청의 살림이 밴 느긋함이다.
젊은 시절에 필요 외의 건들에는
별 관심을 드러내지 않았을
그 지성의 교양미가
여전히 서려있고
언변에도 무릇 익은 삶의
정숙함이 실려 있다.
좋은 감정이 순하게
절로 싹터 오른다.

　"식사를 준비해 점심을 맛있게 먹게 한 저이는 누구?"
차량조수석에 앉은 내가 동승한 세 사람에게 동시에 물었다.
　"누구의 형수."
운전대 잡은 친구의 답변이 이내 돌아왔다.
나는, 새삼 호기심을 키웠다.
전부터 자극 과민성 분노와
우울장애 의중의 정신질환으로
인성이 바르지 못하여
사람들과의 교류가 엉망이면서
혼자만의 그 사나운 성질대로
마누라 속을 여전히 들쑤시는

초등학교동창의 바로 위형임을
들어왔기 때문이다.
그렇다면
몇 년 전 학교교장 재직 시 별세했다는
초등학교 2년 선배인 셈이다.
 '그 선배의 미망인?
어쩐지 남달리 현숙해 보인다했더니만…'
친구의 서예학원에서
붓글씨 쓰는 공부를 한다면
이미 내가 누구인지에 대한
소싯적 환경부터 들었을 터이다.

2

사는 동네를 벗어난 하천 변 산책을 마치고
귀가 경로로 잠정 잡은 이층전철역 입구
낯익은 단발여성이 얼핏 눈에 띄었다.
순식간에 인지조화를 깬
반가움의 강도가 높아졌다.

 "여기 웬일세요?"
 "집까지 운동 삼아 걸어가려다
도저히 안 되겠다 싶어 전철을 타려고요."
어림잡아도 고갯마루 학원에서부터
경기도를 넘어가는 거리는
족히 2km는 되지 않을까 한다.
 "꽤 먼 거리이면서 날도 차네요.
차 한 잔 하시겠습니까?"
 "아, 아니에요. 어서 학원에 가셔서 식사하세요."

"식사 후 머리를 식힐 겸 산책 나온 겁니다."
"시간을 때울 요량으로 서예를 배우는 거예요."
서향에서 동향으로 위치를 바꾸면서
스스로 낸 소개말.
옛 미인 색 거두지 않고
고정 맞춘 눈빛 미소에 서려 있는
호감의 붉은 입술
외지에서 느닷없이 대면한 탓인지
소녀의 수줍기를 머금고 있다.

홀아비 신세 면하고 자는
읍소의 짝사랑일수 있는
나의 상상대로 만일
그녀의 남편이 된다면
주변 변화는 불가피하다.
그 첫째가 그녀가 서방으로 부르는
동창친구의 반응이다.
그는, 분명 제정신 아닌
이성 잃은 발광으로
욕설을 쏟아낼 것이다.
그 남편을 극도로 미워하는
아내의 속내도
여간 궁금한 게 아니다.

3

달콤한 동화가 소곤거린다.
머나먼 그리운 사랑
눈부신 햇살 똑바로 볼 수 없어

고개를 숙여 꿈결에 잠겨든다.
달빛은 아련히 먼 영혼을 깨워
환상을 보게 한다.
하얀 손이 손짓하며 부른다.
기쁨이 심장을 띄운다.
그대의 눈빛은 내 방의 창문
이렇게 일치로 맞춰진 두 시선
상냥한 유모가 아기를 돌보듯
순환 싹 잃지 않게 하는 소망이여!
사랑은 성장의 희망
세상에 어느 누가
나의 백지가슴에
생동의 그림을
그려줄 수 있겠는가.

나이를 잊은 듯
나의 늙은 주름 믿을 수 없도록
한창 시절의
생기를 불어넣는 그대여!
내 언제나 그대를 바라보는 시선은
평준의 관심이 아니라
꽃을 피우는 봄볕의 생기처럼
신의(信義)의 한 몸이라오.
내 어제 죽었어야 할 몸이었는데,
그대의 온화한 성품에 거뜬히 부활하여
오늘의 숨결 내쉬고 있네요.
그대의 수려한 지순에
수명이 연장되었네요.

4

나는, 머나 멀어
손길이 닿지 않는 미체(美髢)를
나의 의식세계로 불러들여
피부 감촉이 상반 다른
손과 손을 잡은 춤을 춘다.
행복에 겨운 낯빛을 마주 보고
밀착한 두 몸
서로는 양 어깨에
두 팔을 어긋 얹고
입술에 입술을 붙인다.
출렁 바다를 낀 해변
백사장을 발 맞춰 거닐면서
갈매기 울음소리 배경으로 들으며
주운 조개껍질 속을 들여다본다.
음악이 흐르는 아늑한 어느 찻집
테이블에 마주 앉아
향기 짙은 메론 차를 나눈다.
보배를 정장하고 있다.

그러나 안타깝게도
그 품에 당장 안길 수가 없도다.
임이 계시는 곳을
알지 못하기 때문이다.
가슴이 저미어지면서
숨이 막혀온다.
살은 빠졌고, 핏기도 말라
정신 건강 예전만 못 하다.

마술의 나라에서 들려오는
아릿한 노래
꿈인가 생시인가
수수께끼 공기는 손에 잡히지 않고
허공을 맴돈다.

5

여자는 연분이 될 성 싶은
남자를 좇는다.
능력을 재는 눈이 높아 그런가.
딱히, 심성에 와 닿는
선남 띄지 않는다.
고개를 숙인 시름 안색
소중함을 잃은 쓸쓸한
낭만이 서렸다.
유리 창밖 황혼에 물든
저녁 풍경
식은 커피 잔을 앞에 둔 여자
오래토록 지켜보고 있다.
바람에 흔들리는 갈대숲
심금 적시는 구슬픔이다.
내 생애 만남이 없었는데,
미지의 그로부터
이별의 통지를 받은 기분…?
앞을 가린 어둠이여!
이 몸을 안아 줄 금슬
보게 해다오.

6

성견(犬) 한 마리만이
땅 냄새를 맡으며 오가는
한적한 골목
한 집 담장너머로부터
여자의 비명소리 넘어온다.
누구로부터 몽둥이로
두들겨 맞는 건지
아픔을 견디지 못해 하는
속 깊은 된 신음
기어들다 작아지다
또 한 번 내리친 맨살 매질에
기절이라도 했는지,
잠시 숨결이 멈추어진다.
그때 "남편이 다른 여자와
바람 폈다고 굶어죽이겠다며
밥상 안 차리는 성질머리
어디서 배워먹은 거야."
라는 남정네 호령이 우렁차게 내질러졌다.
별안간, 그 집 대문이 와락 열리면서
혼백의 사색으로 무단 뛰쳐나오는 중년여자
손에 잡히는 대로 급하게 겨우 걸쳤을 상의
마구 헝클어진 머리처럼
앞섶이 풀어 헤쳐진 사이로
드러낸 두 젖가슴
여인은, 도움을 청할
어느 집을 향해
정신없이 내달린다.

미래의 삶

우리는 저마다 보는 관점이 다르다.
여행경험의 소감도 불일치하게 말하고
한 음식 맛의 평가도 달리 표현한다.

내일 무슨 역사가 일어날지는
오늘 어떤 준비를
하고 있느냐에 달려있다.
나쁘게 보는 것이 불만의 시발이다.
심기 불편한 비관이 극에 달해지면
미움이 자라 다툼의 소지를 끌어안는
정상적 판단 잃게 되고,
부정적이면 사나워지고
관계 악화는 상대를 인정 않는
배타에 빠져들게 한다.
위기에 몰렸다 싶으면
투쟁심이 격해지고
물불을 가리는 이성이 상실된 격심은
항상 우리의 행동을 왜곡시켜왔다.
생활방식을 뒤틀어 놓을 뿐 아니라,
사람과도 장벽을 쌓는 척을 지게하고
경도가 심할 경우에는
인간성 파괴라는 위급에까지 이르게 했다.

두려움에 떠는 공포는 고립의 자초
갇힌 어둠 안에서 이리저리 헤매리.

갈피를 잡지 못 하니
현상을 바로 보지 못 하고
어떻게 움직여야 할지 엄두가 서질 않는다며
진즉부터 실패를 받아들이는
부정의 고개부터 젖게 된다.
심장박동을 불규칙하게 뛰게 하는 불면증은
정신건강에 치명적이 질환이 아닐 수 없다.
인지력이 크게 약해져 저항력이
떨어질 수밖에 없는 것이
자신감을 잃은 두려움이요
매달릴수록 어둠의 불안이 짙어지는 것이
안위위협을 불러들이는 공포이다.

의식은 자신을 그러쥐게 하는 폐쇄
죽음을 두 배로 증가시키는 철장의 감옥
그 안에서도 적응의 뿌리가 내려진다면
불안심은 가라앉아 안정이 싹터지리.
사면이 꽉 막힌 캄캄한 공간일지라도
삶의 숨결은 밖으로 나가는 통로를 찾기 마련.
무엇에 관한 관심이 중요하다.
관심은 해보겠다는 담력을 키워주고
자리에서 일어난 사람은 걷는 운동만으로도
체력건강을 지켜낼 수 있다.
뿌리 깊은 나무는 가뭄을 타지 않는다 했다.
두려움은 자신을 쓰다듬는 사랑을 잃은 불신
불안증은 잠을 방해하고
하나님은 사랑하는 사람에게 잠을 내리신다.
그 잠은 여느 날보다 편안하다.

2

믿음은 바라는 것들의 실상
눈에 보이지 않는 물리를 바라보는
능력이 사고력
세상에서 가장 행복한 사람은
하늘이 내린 사명을 변함없이 수행하는 사람.
그러나 자신의 주관적 사고력 없이
남의 말에 이끌려 움직이는 사람에게는
수증기를 머금고 있는 심경이 무거워
새로운 것을 기억해 내는 일조차
귀찮아하는 사람에게는
하늘은 먹고, 자고, 입는
그런 단순 삶만 허락했을 뿐
세상을 크게 보고, 크게 안는
거시안목은 내리지 않는다.

보잘 것 없는 나약한 사람에게도
한 가닥의 꿈은 있다.
그러나 자신 치장에만 매여
생산의 창조력이 결연된 사람은
백번, 천 번 깨어나도
자신의 생각에 바탕 둔
나만의 그림을 그려내지를 못 한다.
객관적으로 자신의 실체를 증명하는 의식이
허공으로 사라지는 안개 대하듯
불분명하기 때문이다.
무치다, 비비다, 주무르다, 버무리다의 동사는
모두 두 손을 써서 입맛을 내는 수고이다.

그러나 우리가 매일 섭취하면서
건강을 도모하는 모든 음식료품에는
각각의 효능과 부작용을 동시에 안고 있다.
인생의 불행은 자신으로써 확신 없는
좌절에서 비롯된다.
누구로부터 돌봄만을 받으려는 사람도
존재감이 있는 듯 없는 듯
난장이로 작아지는 건 매일 반.

사람은 이면 성을 안고 있다.
강한 능력을 앞세운 도전이
반드시 성공한다는 보장은 없고,
병자처럼 기력이 쇠한 사람일지라도
내다보는 안목이 열려있다면
앉은 그 자리에서 얼마든지
기회를 거머쥘 수 있다.

3

그대는 무슨 생각을 하고 있는가?
뒤집어 봐도 앞면과 똑같을 뿐인 돈
겉이 같다고 속이 같지 않은 돈
미생(未生)을 원색으로 이끄는 돈
그 돈에서 자유로운 사람 누가 있을까?
사람들은 돈, 돈, 돈을 좇으며
하루하루를 보낸다.
한 푼이라도 더 벌려고
직장에 다니고, 사업에 매달리고
그러면서 빚쟁이에 목줄 잡히고

때로는 흉기를 휘두르는
강도로 변신하여
경비 허술한 금은방을 털어
사회불안을 조성한다.
도전에 실패한 사람도
사업성공으로 누더기 옷을 벗은 사람도
똑같이 삶의 토대를 다지는 데서
인생의 경험을 쌓는 건 매 한 가지.

그대는 무슨 생각을 하고 있는가?
자신은 위대하다는 실력의 자부심이
저평가된 것에 분노하고 있지 않는가.
보이지 않아 들리지 않고
만져지지 않아 감동이 없어
내 것이 아니라는 체념.

세상의 눈들은 본질보다
겉모습으로 사람을 가리는 대세 이유는
돈의 참 기능을 설명하지 못하고
  "벌어야 언제든 쓰지"
라는 보통의 말을 실없이 내뱉기 때문.
경제학에서 화폐라 부르는 돈의 속성은
가치가 변하지 않는 곳에 투자를 해야
돈이 돈을 벌어주는 안전자산이 키워준다는 점이다.

돈은, 그 사람의 위상을 높여준다.
돈 있는 사람은 어디를 가든 환영을 받는다.
그림자만으로도 기를 살려주기 때문이다.

하늘에서 뚝 떨어진 것이 아닌 돈
공동체가 서로의 융합에 맞춰 도안해낸 돈
그러나 그 돈의 작동이 강력할수록
사회의 불평등 편차는 크게 벌어진다.

4

이생범부(異生凡夫:성자가 아닌 보통사람)인
나에 대해 알고 싶지 않은 것처럼
네가 스스로 나는 이런 사람이라
소개한다면 모를까
나는, 내 입으로 너에 대해서도
신상을 묻지를 않을 참이다.
그것은 내게 중요하지 않다.
물은 그 자체로 물인 것처럼
산은 그 자체로 산인 것처럼
나는, 단지 교류가 통하는
친숙을 곁에 두고 싶을 뿐이다.

나는 모든 것을 보고 듣는다.
폭력배에게 얻어맞는 누군가의 비명소리
자신의 게으름을 복 없는 놈이라 학대하며
신에게 원망을 쏟아내는 미확인 신자
삶의 의욕을 잃고
인체 기능마저 내려놓고
공원그네에 걸터앉아
시간을 덧없이 보내는 가엾은 실업자
입으로만 애국을 떠드는 정치인의 거만한 위선
그물망을 들고 잠자리를 쫓는 소년

갓난아기를 안고
교회문턱을 넘나드는 신자들에게
축복을 부탁하는 젊은 엄마
영혼들의 안식을 비는 단상의 목사
세상은 그렇게 정지 없이 사람들을 잇고
보다 넓게 퍼져나간다.
지식은 역동
늘 멀리 보라.
그 너머 시선이 닿는 곳까지
늘 많이 헤아려라.
공간은 무한하다.
자신을 숨기지 않는 솔직한 심정으로
한기 피는 마룻바닥에 납작 엎드려
눈물을 뚝뚝 흘리는
힘든 시련 견딜 수 있게 해달라는
은총을 구하라.
꿈꾸는 행동이 머물러있는 그곳에
굽어 살피시며 어루만져주시는
하나님이 계시리.

나는, 내 안에 없는
해 시간 낮때는 볼 수 없는
원심의 배열로 반짝이는
하늘의 별들을 보고 있다.
그 수 너무 많아 헤아릴 수 없다.
그 빛들은 고정된 중심부를 지키며
지상의 모든 사물과 속삭이고 있다.
공기는 차고 정신은 맑다.

이슥하게 깊어진 산중에서
어디선가에서 기다리고 있을 장끼(수꿩)에게
구애를 청하는 까투리(암꿩).

자신의 유익을 구하지 않고
오래 견디는 참는 인내로
남을 위해 희생하는 사랑만이
과연 인류를 구원하는 선도일까?
모든 것을 깨달았다는 지혜 자는 말한다.
외적이든 내적이든 상대성을 두고
이런 일 저런 일을 하여야만
사람으로서의 품위를 유지할 수 있는
인생에는 생활의 안정은 없다.
시름은 실족으로 견인하는 마음의 병
모르면 헤매기 마련
설사, 안다할지라도 그 무엇에 대해
안전보장이 없다면서
제자리걸음만 하는 사람은
꿈의 목적에 다다를 수 없는 것.
취미를 즐겨라. 능력을 키워라.
등산이든, 당구놀이로든지 해서
맥없이 주저앉으려는 나태를 달래라.

모양새가 오목한 상자 위로는
같은 물품이라도 쌓는 것 불가능하나
똑같은 사각 모양의 상자 위로는
높게 쌓아도 무너지지 않는다.
좋으면 만지고 싶어 하는 손

맛깔 있게 보이면 먹고 싶어 하는 입
여행지 구석구석을 돌아다니는 발
시각이 인도하는 일들이다.
이처럼 몸은 지체별 감각을 지니고 있다.
그 각 역할을 맡은 육체는
한 지체가 고통을 받으면
동시에 한시름의 눈물을 흘린다.
각고의 노력 끝에 마침내 씌워진 면류관의 영광도
그 지체는 함께 기뻐한다.

우리는 저마다 사물을 보는 관점이 다르다.
어떤 사람은 미인의 기준을 착한 성품에 두고
어떤 사람은 신을 찾는 행위보다
권력의 위상으로 국민적 군림을 선호한다.
독립의 개체이기 때문이다.

웅덩이를 채운 뒤 앞으로 흐르는 물
그 자유의 물도 위로부터
공급을 내려 받지 못하면
고인 물로 썩을 수밖에 없노니,
자신의 인생을 부단히 관리하는 사람은
인성의 덕목으로 존중을 받게 되리.
존중은 애정이 실린 인격
더 크게 자라 사회적 인물이 되라는
응원의 격려
사람은 칭찬을 들을수록
누구에게나 밝은 웃음으로 대한다.
손님의 마음을 얻어야

운영기간이 길어지는
사업성 장사도 이와 똑같다.

시작은 미약!
모든 생물은 생명이 붙어있는 한
스스로 자라나
나무는 보듬어줄수록
튼실한 열매로 보답하고
정원의 꽃은
고운 향기로 심신을 일깨운다.

외부 물질에 의해 형질이 조율되는 법.
육체는 옅은 피부에 덮인 살갗일 뿐
그 겉도 상처 입지 않도록 보호로 지켜야 하나,
그에 가려져 보이지 않는 저만의 속감정은
생동의 좌우를 선택하게 하는 내면은
그보다 보살피는 애증은 더 중요하다.

감정의 동기를 키운다는 것은
대단한 자산이다.
정심(定心) 상태가 어떠하냐에 따라
그날의 전망은 밝기도 흐리기도 할 것이다.
지금은 이상 고온 탓에 예년보다 이르게
자태를 뽐냈던 벚꽃, 개나리, 목련 등이
그 화려했던 짧은 수명을 일찌감치 접고
일 최고 기록을 경신중인 초여름 같은 삼월 하순
이처럼 순환하는 사계절이 있듯이
사람의 기분은 둘러싸인 환경에 맞춰 산다.

우리는 그 안에서 계절 풍
한파·더위·사나운 태풍을 접하고
그 세력에 휩쓸리지 않으려 이를 악물고 싸운다.
주변의 거친 환경이 존재를 쓰러트리고 말 듯이
강렬하게 덮어오는 압력은,
의지만으로 버틴다는 것은 어려운 일이다.
이때는 무작정 물리치겠다는 대처보다
그 세력에 휩쓸리지 않는
일시 피함이 상책.
아무리 하잖아 잡초일지라도
그 한 생명의 모든 것.
증오는 살생을 품은 위험한 감정
화가 불덩이면 목청 높아지고
무식은 직설화법으로 상대를 위협하고
지상과 지하를 가르는 기준은 대지바닥.
사업으로 큰돈을 번 사람은
하늘 닿는 건물을 지상에 세우고
경제수준이 낮은 사람은
햇살이 들지 않는 지하로 내려가고
꿉꿉한 반지하방에 사는 가난한 사람은
돈의 증식 공간인 지상의 욕구를
불쾌로 받아들이는 속성을 안고 있다.

5

사는 동네에서 기업명이 붙은
다리 하나만 건너면
바로 접해지는 하천 변
서편 방향의 흙길

그 가녘에 산 동백나무라고도 불리는
노란 꽃을 막 틔운 생강나무 한 그루
새봄의 온화한 해살을 쬐고 있다.
아직도 이런 지역이 있는가 싶을 정도로
시골풍경이 농후한 한적한 들판
새순을 파릇파릇 틔우는 흙냄새 향긋하다.
기분전환의 시간을 가져보자는
의도와 딱 맞아떨어져
살맛이 키워지는 평심을 안겨준다.

서울과 경기도 분계선인 일대는
차량통행이 제법 많은 대로를
가깝게 낀 도심변두리이다.
비닐농사와 컨테이너 보관창고 등으로
나누어진 미개발지대이다.
그 가운데 제법 큼직한
비닐식당 한 동이 있다.
점심시간이 지난 무렵인 데도
삼계탕·오리고기로 배를 채우는 손님 수
적지 않게 많다.
그 맞은 편 가변으로 5-6대 승용차들이
세워져 있는 걸로 미뤄
꽤 널리 알려진 맛 집인 것 같다.

몇 동의 가건물 사이를 더 둘러보고
다다른 둑길 아래
낯설지 않는 이름소개 안내판을 목도한다.
기형도시인의 옛 생가 터이다.

젊은 나이에 요절한 시인이
아직도 낙후 지대로 남은 이곳 동네에서
드넓은 안양천을 매일 가로질러
머나먼 시흥초등학교를 오갔다니
보폭 짧은 소년의 걸음 수 헤아리기 쉽지 않다.

일대는 각종 고철을 쌓아둔 고물상과
비계(파이프), 안전발판, 합판 등을
임대하는 현장이다.
둑길 높이에 가려져 저편에선
굴뚝머리도 볼 수 없는
판잣집 수십 채가 널브러져 있다.
좁다란 통로 기준으로 구역이 갈린
옆집 소음 들을 수 있는
벽과 벽이 서로 잇대어진 쪽방 촌이다.

가꾸어진 정양이 없어
지름신과는 거리 먼
누군가를 만나러왔다
실망의 쓴 약을 되씹으면 돌아갈
낮은 지붕 위로는
폐타이어·돌덩이 등이 얹어져있고,
엷은 천이 곧 출입문인 가구도 있다.
길거리에서 주먹밥 먹던 6·25전쟁 이후
흔히 볼 수 있었던 빈천한 주거 공간들이다.
주거환경에 꼭 필요한
작은 물건만을 들일 수 있는
깃털의 삶터이다.

반려 견을 앞세운 한 남성주민이
삼도 경사면을 막 오르고 있다.
산책에 나서는 모양새다.
끝자락이 한기에 살랑살랑 흔들리는
현수막 내용을 읽어보니
생활터전을 잃게 됐으니
해당 부서에서 이주 대책을
세워달라는 문구이다.
아마, 일대개발에 관한 얘기들이
오가는 중인 것 같다.

생명의 주권을 동일하게 부여받은
이름 모를 그들
그 기본을 지키려
돈 많은 뭇 사람들로부터
멸시천대의 욕설을
숱하게 들었을 터이다.
사방에서 찔러대는
그 밉쌀가시의 아픔으로,
지지리 못난 자신의 몸을
사정없이 학대했을 것이다.
그러면서 "나는 왜 이다지도 복이 없는가."
한탄의 눈물을 하염없이 흘렸을 것이다.

돈에 대해 걱정을 않는 부자들은
항상 가난한 사람들을
종으로 부려왔다.
심한 경우에는

가난한 사람의 의복에서는
더러운 냄새가 난다며
코를 틀어막고
상종을 꺼리는 배척도 불사했다.
이 빈부격차의 갈등은
인류가 존재하는 한
결코 해결될 사안이 아니다.
되레 날이 갈수록 빈부 간 다툼
심회되고 있는 실정이다.

한 생명체인 모든 사람은 평등하다.
그러나 경제만이 완전한
주인공으로 들어앉은 사회는
이를 인정하지 않고
신분이 낮고 높은 기준을 정하여
약자를 몰아내는 살벌한
강자 노릇을 지속하고 있다.
현대의 약자는 압도적 다수인
중간층이 몰락하는 형태로 나타난다.
이 면에서 언제나 꼴찌로 밀리는 측은,
돈도 인맥도 없는 음지의 사람들이다.

자치구, 또는 국가에서 지원하는
최소한의 금전보장으로
그나마 사람으로서의
구실을 겨우 갖춘 그들은
자기 목소리가 없다.
어떻게든 극복하려는 힘을 써 봐도,

찌그러진 냄비 밑바닥에
새까맣게 눌러 붙은 누룽지 신분을
지워낼 수 없는 무거운 한숨을
절로 푹푹 내쉬는 가난은
당사자의 정신마저도
반작용으로 썩게 하는 악취 병이다.
자본주의가 갈라놓은
물질만능의 본질이다.

못 들은 척 한쪽 귀로 흘려낼 수 없는
부자들이 명사로 붙인 멸시천대
기를 꺾고 빼앗는
그 가난에서 탈출해보겠다며
오랜 훈련으로 기량을 다진
뛰어난 선수들과
경기장 출발점에 나란히 선 그대
실로, 새로운 도약의
개척이 아닐 수 없다.
관점은, 교활한 사람은
이성의 날이 예리하긴 하나
참된 명석함과 거리 먼
피상적이기 때문에
뒤끝이 좋지 않는
저질을 드러낸다는 것이다.
그럼에도 빙산의 일각인
눈의 1%를 내세우기보다
가장 당당한 수면 아래
99% 실력으로 자웅을 겨루길 바란다.

라면으로 허기를 달래 온 그 힘을
최대한 끌어올려 오늘의 경기에서 반드시
승리의 면류관을 차지하는
영광의 주인공이 되길 빌어마지 않는다.

내 오랜 경험에 따르면
환경 요인의 우울증에 항시 시달리는
하위 계층의 사람들은 호르몬이 양성되는
햇볕을 거의 받지 못해
정신건강이 취약하다는 것이다.
  '가난은 부끄러운 것이 아니라,
단지 불편할 뿐이다.'
어느 책 속의 이 고상한 문장에 동의를 않고
살갗을 물어뜯는 벌레 내쫓듯
극구 밀어내는 그들이다.
몸 하나 편히 뉘일 경제적 토대가 없다는
그 서러운 닭똥눈물을
어두운 구석에서 격심하게 짜내는 가난은
과장을 쓴다면 오물이 홍수로 역류하는
기생충 생활이라 하지 않을 수 없다.

그 흙의 질그릇
산산조각 부숴버려도
속이 풀리지 않는다며
못 볼 걸 본다는 듯이
이를 가는 밉쌀의 겹눈으로
그렇게 흙을 파먹는
지렁이들의 쌈짓돈을 빼앗아

그 흙속에 가둬두는 자본주의 욕구는
생리의 안전을 탄 자아실현에 두고 있다.
가장 큰 고통은
자발적 선택도 쉽지 않는 마당에
비자발적인 강요의 압력은
더욱 무겁다는 것이다.

한 사람의 자격은 밥에서 나오고
그 밥은 체력을 받쳐주는 힘이다.
남자는 밥벌이 사냥꾼
남자의 전통적 유전은
노동과 전쟁에 익숙해진 체력
현실감각이 뛰어난 여자는
살림에 백수인 남자의 조력자
젊은 아가씨들이여, 겉모습뿐인
남자의 레드오션(몸)만 보지 말고,
밥값 잘하면서 자신만의 리듬감으로
대인 관계가 원만한 그런 남자를 만나
밤하늘의 북극성처럼 길잡이가 되어 줄
언제나 할 일이 있는 손,
언제나 듬직한 지갑의 무게,
걷는 길마다 행운이 열리는
축복을 누리길.

대신, 그대는 부의 근력이
체질로 붙어있는 데도 불구하고
환경이 받쳐주지 않아 애를 먹는
그 남자의 능력을 과소평가하지 말길.

부와 절대 친구가 될 수 없는
무절제, 게으름, 향락으로 이끄는
술독에 빠져있지 않고
세 번의 기회를 내린다는
신의 가호를
언제든 받을 준비를 하고 있다면
여자여,
배후의 기도로서 남자를 돕게 나.
사람과 사람과의 결별은
우아할 수 없지 않는가.

6

잠시도 머뭇거리지 않는
시간 속에서
인류사회는 지구를 정복하는
기적을 만들어냈다.
결코 공평하지 않는 세상살이
이에 더해 사회순리를 제멋대로 역행하며
크고 작은 사고를 치는 불량자는
그 악행으로 죗값을 치르게 되리.
오늘도 공전하며
태양의 위치, 달의 모양새를
일정하게 바꿔가는 지구
오래고 오래인 지구의
나이 측정은 과학자들의 몫.
인명과 재산 손실을 다양하게 입히는
기후 변화, 매서운 살인한파
전쟁, 강도 센 지진 등으로

지구 종말이 자정에 다다라
인류 전체가 멸망한다 할지라도
지구는 생명체 흔적 찾아 볼 수 없는
오늘의 화성처럼 중력의 균형을 잃지 않고
공전을 유지할 것이다.

사람이 분수를 잃고
제멋대로 날뛰는 까닭은
목적을 좇는 과정이
공평하지 않다는 불평 때문.
제 자리를 떠나
이리 기웃 저리 기웃거림으로
주어진 시간을 허비하는
이런 사람은
인성이 정립되어 있지 않았음을
쉽사리 발견된다.
한 톨의 씨앗 열매 언제 거두겠냐면서
기다리는 인내를 거둬 차는
성급한 욕망은 범행에 뛰어들기 십상.

표면적 인간은 체면을 중시하고
익은 곡식 고개 숙이듯
실속이 깊은 내면의 사람은
시간을 효율로 쓸 수 있는 방법을 좇는다.
자기 관리를 잘하는 사람은 자세가 올곧다.
무너진 흐트러짐을 찾아볼 수 없다.
삶은 선택의 연속,
이성은 창조의 기틀,

더 나은 내일의 준비로는
남들이 가지 않아 원시림 그대로인
숲속을 헤매며 나만의 길을 내는 것.
사람은 자기를 알아주고
후원을 아끼지 않은 상사를
끝까지 외면하지 않고
은혜의 기억으로 남겨둔다.
좌우로 치우치지 않고
하루하루의 정심(定心)을 모으는 합리가
그대의 인생을 결정 짓는
보루임을 상기하자.

당장의 편리는 오늘의 힘든 일
피해보자는 심사
현명한 선택이 아니므로
내일의 약효가 떨어질 수밖에.
오늘의 불편함은 목적을 좇는
일정을 늦추는 것에 불과
어둠은 해가 뜨면 바로 사라지듯이
더 이상 나에 나를 잃지 않으려면
'만약' '가령' 단어를
뇌리에서 지우기를 추천한다.

7

흔히들 사랑에 빠지면
단 둘 외에
아무도 눈에 들어오지 않는다 한다.
나도 실제 경험한 적이 몇 차례 있다.

26살에 교회에서 만난 그녀는
남자의 마음을 단번에 빼앗는
미인도 아니었고,
공부를 많이 하여
미래 보장이 든든하지도 않았다.
상고를 졸업한 직장인이었다.
가족구성은 부모 슬하에 위로
택시기사인 오빠가 있고,
생활형편은 자신이 버는 돈으로
품위유지의 의복과
구두를 사 신는 정도였다.
내가 식견이 좁은 보통의 그녀에게
악필편지로 사랑을 고백한 이유는
물론 결혼의 목적을 세워뒀기 때문이다.
그러나 난 이와 정반대로
예배를 마치고 출입구 앞에서
두 눈빛을 데굴데굴 굴려가며
기다리는 그녀를
고개를 돌려 만나주지를 않았다.
왜 그랬을까? 그 변명은 주머니사정이
너무나 굶주려있었기 때문이었다.
그 한편으로 후회 반
긍정반이라는 결혼을 만일 한다면
피할 수 없는 정면 돌파로
생계전선에 뛰어들어야만 한다는
회의가 부담스럽게 무거웠다.
경제 문제는 둘째 치고,
정신자유와 육신이 속박된다는

미래의 우려도
그녀를 멀리하는 데 한몫을 더했다.
그 당시
나는 부족한 공부를 채우는 한 측으로
시 습작에 매달려있었기에
누구에게나 손가락질 받을 정도로
매우 궁핍했다.
날로 가벼워지는 체중무게와 더불어
의식도 아주 쇠약했었다.
그랬다.
시인이 되고 자는 표적은
이토록 내 몸 하나 건수하지 못할 정도로
자아(自我) 지키기가 매우 힘들었다.
빌어먹지 않으려 육신을 혹사하는
건설현장의 막노동도 해 봤고,
채소 몇 단을 실은 리어카를 끌고
이 골목 저 골목 누비기도 했었다.

사랑은 이성의 화학작용이다.
그 사랑에 깊이 젖어들면
누구는 평안의 안식을
누리듯이 차분해지고
누구는 숨겨뒀던 욕망을 키워
가정파탄의 주범이 된다.
누군가에게 빌붙은 의존은
소유를 전제로 깔고 있다.
사랑도 상대성이다.
그 관계성에서 자녀를 낳는다.

사랑의 가장 큰 위협은 생활방식이나
성격이 맞지 않는다는 갈등이다.
여기서 첨예한 애증결핍을 맞게 된다.
사랑은 이리저리 맞추는 조화라 하나,
양측의 장단점을 하나로 묶는 과정은
말처럼 쉽지 않다.
보통 결혼생활 7년이면
부부애정이 식는다 하지 않는가.

인간은 저마다 개성의 감정을 지닌
생물이기 때문이다.
그 생물은 땅의 소산물로 이기심을 기른다.
이기심은 숨이 붙은 목숨을 살리겠다는
다툼의 힘을 쓰게 한다.
그 작용은 마음의 선행 여부에 따라
만남의 다리를 놓는가하면
품의 새를 죽이는 악인의 길을 걷기도 한다.
일련의 노력은 자기중심의 활동이다.
경주는 더 많은 갈등과 혼란을 부추긴다.
이 복잡한 혼돈을 피하려
아무런 힘을 쓰지 않는다면
우리 사회는, 우리 가정은
행복이 깃들 수 없다.
비 온 뒤의 해살 얼마나 눈부신가.
이성은 한결같지 않고
수시로 반사작용의 기복을 겪는다.
나로서의 이탈(離脫)이 완전하지 않기 때문이다.
하늘을 나는 자유를 입지 못 했기 때문이다.

제이의 나 아닌 타인일 경우.
등짐이 많으면 그 무게에 짓눌려
좌우를 둘러보지 못 한다.
고뇌가 끊이지 않는
소유욕을 말하는 것이다.
생활인들은
내 것이라는 인식이 강하여
노인성 경화(硬化)가 굳세다.
만일,
누가 외투를 빼앗으려한다면
제일 먼저 분노를 앞세워
나의 소유임을 주장한다.
이는 곧 너와 나 사이에
장벽을 치는 행위이다.
학문지식이 높은 스승은
세상물정을 모른다.
세탁기 사용법과 망치질도 거의 못해
아내로부터 구박을 자주 먹는다.
우리가 알고 있는 모든 일에는
원인과 과정과 결말에서 피어난다.
즉, 행위는 서로의 상관에서 맺어져있다.

나는 시인이다.
사물을 글로 표현해내는
작품 활동에 골몰해있으면
나라는 좌우 존재는 없고
오직 활자만이 뇌에서 살아 뛴다.
예술은 고도의 행위이다.

이 길은 누구에게나 열려있다.
어떤 경로를 통해서
언제든 접근할 수 있다.
그러나 갈고 닦는 독창의 묘사가
자연에 근접하다할지라도
영원히 변치 않는 진리는 될 수 없다.
예술은 신경 거슬리는
조직에 매여 있으며 빛을 잃는다.
제 구실을 못 하는 장애인이 되고 만다.

소소한 물건에
숨결을 불어넣는 예술은
무한한 자유에 의해서
생명의 신선도가 높아진다.
신의 영역인 예술은
아무나 지닐 수 있는 게 아니다.
사소한 일에 얽매여 있지 않고
다툼의 소지가 복잡한
세속에서 떠났을 때
곧, 나를 인지하지 못 하는
부재에 눈이 떠졌을 때
그 행복의 열쇠를 쥘 수 있다.
그 열쇠의 주인공은 바로
자신이다.
신의 도움을 갈구하는
개인 각자는
영험이 무뎌 발등상만을
내려다본다 할지라도

그 자신에게는 한 줄기 빛이다.
그러나 그냥저냥 사는 사람은
그 점을 깨닫는 노력보다
보이는 것들에만 의존을 거는
감정에 도취되기를 원한다.
곧바로 숙련을 포기하는
기질을 나타낸다.
예술에 대해 깨우치기도 전에
종말을 내린다.

8

나는 모든 종교인들을
신뢰를 담아 존중한다.
그들의 신분이 재래시장의 상인이든,
나라의 장래를 논하는 정치인이든,
이 땅의 동등한 생명으로 보고 있다.
신을 섬기는 그들의 무릎 기도 덕분에
세상은 그나마 살만하고
신념을 가득 채운 사람들로
넘쳐나게 되었다.
누구는 그 신과 가까운 친구가 되어
신실한 마음으로
모두에게 필요한 인물이 될 수 있었고,
누구는 주변의 관심어린 친절한 온유에
자신도 이웃을 내 몸처럼 사랑하게 되면서
베푸는 것이 받는 것보다 복이 크다는
진리를 몸소 터득하기도 하였다.
　"주님께서 긍휼이 보시고 내리신

은총에 힙 입어 스스로의 잘못을
바로 잡겠습니다." 고백을 되뇌며 섬기는
그 신과 오늘도 친분을 영속하고 있는
그들은
저 높은 곳을 바라보며 잠시 잠깐의
변화무쌍한 사계절의 기후를 견뎌낸다.
미쁨의 절제로
새로워진 심령의 평화로
빛의 열매인 착함과 의로움을 다지며
이웃의 아픔을 덜어 주거나
나누지 못해 애달프다는 사랑 부족을
땅을 치며 통감한다.
그들은 속임인 탐심의 탈을 피하면서
좁은 길을 걷는다.
어둠의 자식인 악을 좇지 않고
빛 가운데로 다닌다.

"비판을 받지 않으려면 비판하지 말라"
가르치는 성경은
사람이 먼저 입어야할 성품은
악의 없는 온순함이라 한다.
속옷을 구하는 자에게 겉옷까지 걸쳐주는
선행의 구제를 강조한다.
선한 행실의 향기는
끝이 깨끗하다는 특이이다.
무엇을 먹을까 무엇을 입을까 걱정은
외식을 즐기는 이방인들이 구하는 탐식이므로
신임 두터운 사람 됨됨과는 거리가 멀다.

악한 행실이 입힌 상처는 쉬 아물지 않는다.
좁은 마음으로는 남을 안는 용서가 쉽지 않다.
종교는 한 생명은 천하 보다 귀하다 이른다.
종교는 사람의 인성을 키우며 변화시킨다.
좋은 성품은 칭찬의 대상이다.

믿음은 마음을 넓혀준다.
믿음은 신과의 관계에 있어서
물을 건너는 중요한 다리이다.
믿음은 조건의 구상보다
현재의 신뢰이다.
인간으로서 해낼 수 없었던
기적의 은혜를 입은 사람은
신을 섬기는 신념이 남달리 각별하다.
사랑의 보답에 힘쓴다.
신앙인은 심판을 받게 될
죄행을 따르면
신께서 낙심하신다는 것쯤은
상식적으로 알고 있다.
죽고 사는 문제는
혀에 달려 있다며
노하기를 더디 하는 입단속이
곧, 신을 기쁘시게 한다는 점도
충분히 인지하고 있다.

9

인류의 생태는 남녀 간의
이성의 충동에서 이어진다.

예나 지금이나 생식의 갈등은
번식을 주도하며 있다.
구구절절한 설명이 필요 없다.
성장 나이에 맞춰 학습으로 배웠건,
어린신체라 호기심 밖 경험이 아직 없든,
모든 생명체들은
발가벗은 성 교섭을 통해
한 상에 둘러앉는 식구 수 늘린다.
정체성의 짜임, 그 생명의 양육

그들이 자녀들에 점심을 먹이는 시간에
시인은 한 곳에 머물고 있는
구름그림자에 실망한 듯이
시무룩 기운에 잠겨있는
들판을 거닐고 있다.
그 복판에 세워져있는
키 큰 미루나무
그 밑동 곁으로 흰 꽃을
한 가득 피운 찔레덩굴
보이지 않는 풀숲 속 어딘가에서
뱀의 습격을 물리치려
이빨을 몽땅 드러낸 오소리
두 동물의 다툼에서
시인은 자신의 숨결을 듣는다.

자연과의 호흡은 영감
심장의 박동
내 영혼아,

나는 너를 굳게 믿는다.
부족한 하나를 본보기삼아
둘 이상의 것을 생산해 내는 지혜와
분명하지 않다 싶은
그 반대 현상을 실눈으로 바라보며
맞춤의 평등을 찾아내는 현명한 지식
나 외에 또 다른 나의 존재
그 최악의 상황을
최선으로 끌어올리는 작업으로
인생은 자신을 괴롭힌다.
내 몸에 맞는 옷을 입으려는 노력이다.
어느 쪽이든
계절의 장소가 어떠하든
흐름은 한 방향에 맞춰져있다.
완벽한 혈통의 깊은 대지
사물들로 제자리 잡게 하여
부끄럽지 않는 생을
누리게 하고 있다.
모든 존재는
저마다 다른 삶을 영위하는
고유의 지성을 지니고 있다.
누구는 작가로
누구는 의사로
자신의 이력을 쌓아가고 있다.
축복받은 인물들이다.

신은 분명 인간들의
머리 위에 계신다.

부인하고 싶어도
부인할 수 없는 현실이다.
나는 나의 두 손을 앞으로 내민다.
지줄 대는 물 한 움큼을 떠
목을 축인다.
목덜미를 간질이는 한 줄기 바람
만족스러운 자연의 조화
영혼의 기쁨
평화와 약속이 맺어지는
그 속에 감추어진 신의 오묘한 섭리
사랑으로 인한 분노와
슬픔을 안은 누구일지라도
꿈에서도 잊을 수 없는
위안을 크게 받을 신비의 흙내
힘의 핏줄로 이어진 신경이
매우 정교하다 못해

감각의 아름다움에 경이가 닿는다.

제3부

나는, 지금 어디쯤 와 있는 걸까?

인간세상

1

이것은 나로써 모자라는 미완성 작품
장식거리에도 실용이 떨어져
나의 나는 민망의 상을 찌푸린다.
나는, 나의 사정을 익히 아는 주인도
누구의 명령을 따르는 하인도 아니다.
때로는 좌천의 아픔을 견디면서
나에게 주어진 일의 보람을 키우는
이 땅에 작은 한 개체일 뿐이다.
나는 나의 일로 대가를 기대하나
그 정석(定石)의 보답을 받지 못하고 있다.
작품으로써 한참 부족하기 때문이다.
나의 나여, 어제보다 더 가까이 내게로 오라.

나는, 지금 어디쯤 와 있는 걸까?
천체 운행을 살펴보면
상현달이 만월에 다다르는 시간 간격은 1주일
음력의 1년(354일)은 양력의 1년(365일)
11일 정도 짧아
그 양력과 일치의 균형을 맞추려 19년 동안
일곱 번의 윤달로 채워 넣는다는 데…

2

병든 인간이 병든 사회를 만든다.
순교정신을 잃은 종교
입에 발린 구원을 밥벌이로 외치며

그 청취자들을 지옥과 절망에 빠트리는
선한 양의 탈을 쓴 단상의 거룩한 신사
세뇌를 거역하는 반역자 심판을 내린다.
음습한 침실 방, 음란의 마귀로 돌변한
그의 어르고 달래는 성스러운 한마디에
어린계집 자리에 누워 성인남자의 몸을 받는다.
헐떡거리는 악마가 손질로 누르는 목
숨통이 끊길 지경이다.
육체가 찢긴 계집 울며불며 엄마를 찾는다.
엄마는 감싸 안는 위로는커녕
천국의 딸로 칭호 된 기쁨만을 늘어놓는다.
그 죄질 목격 후 쫓기게 된 어떤 한 사람
가시철조망을 움켜쥐고 피를 흘린다.
한시에 노인의 얼굴이 된 젊은 청년
사방천지에서 들려오는 조소에
정신이 어지러워
누구를 대상한 회초리인지를
허공을 향해 휘두른다.
다리와 옆구리를 마구 찌르는 송곳
그 고통 더는 참을 수 없자
총을 들고 난사를 터트린다.
그 따라 줄줄이 방주를 이탈하는 청년들
텅 빈 공간, 온기 숨결 사라진 단상
뿌연 먼지만이 쌓여있다.
내려앉은 천장의 잔재들이 널린 옛 성전바닥
아무렇게나 버려진 잡쓰레기 나뒹굴고,
씨앗 머금은 잡풀 우거진 옛 마당 뜰에는
혐오 동물 시궁창 쥐들이 드나든다.

3

해 없이 흐린 상공에 까마귀 날고
길들여지지 않은 원숭이 이리저리 날뛰고
쥐약 먹은 미친개 죽음을 향해 내달린다.
눈물에 젖은 빵을 먹어보지 못한 사람은
참 인생을 알지 못하여
농부의 수고를 입으로만 떠든다.
눈물을 흘리며 뿌린 씨앗의 식물은
하늘이 키우는 법.
고통은, 삶에 대한 겸손을 배우게 하느니
그 고통을 기피하려 수단을 동원하여
당장 보이는 물질만을 좇는다면
그 종교는 더는 생명의 확신을
심어주지 못하리.
낮아지라는 겸손이 덕목이라면서
근로자들의 땀의 가치를
속으로 비웃는 천국 안내자들.
모든 진리는 사물 속에 숨겨져 있다.
그것들은 자신을 드러내지 않기에
탐구자가 캐낼 수밖에 없다.
나는, 축지법(縮地法=땅을 줄이는 법)) 같은
허황된 이야기에 열광하는
세상 사람들에 돌아서서
말없이 시름을 달래주는 자연과
어울리며있다.
낭떠러진 절벽을 매달려 잡고
거친 기후를 견디는 풀 한 포기에
나는 큰 위안을 받는다.

4

밥벌이가 될 만한 재능이라고는
하나도 없는 그는
궁여지책으로 노래라도 부르는
거리가수로 나서겠다며 연습에 들어갔다.
그는, 텔레비전에서 열창 하는
한 가수를 본보기로 삼고
밤낮으로 그의 흉내를 내는
열정을 토했다.
이만하면 실력을 갖췄을 거라는
판단을 자진 내리고
어찌어찌 섭외한 무대에 마침내 서게 되었다.
한데, 내내 차가운 반응만을 내비친 청중들
중도에 퇴장하면서 환불을 요청했다.
왠지, 보편하지 않다는 어둠이
심신을 시커멓게 가렸다.

음악소절은 시이며
시 내용에 맞춰 노래가 생성된다.
한데, 끼 없는 미숙으로 참패를 겪었다.
선후 없이, 앞뒤도 모르고 무작정
기를 살려보겠다며 나선 패착이었다.
수준에 한참 못 미치는 실력을
운의 성격인 꿈이나 점(占)으로 나섰으니
수용 힘든 지탄은 당연하다.
그나마 위안은 희망을 봤다는 것이다.

예술계에서도 돈으로 대중을 불러들이는

장사속성이 존재하고 있다.
이름을 내겠다는 욕망이다.
예술의 질을 떨어트리는 얕은 꾀가 아닐 수 없다.
사물을 보는 혜안의 통찰력이 남달리 깊은
시(詩)의 경우는 대중적 공감을 얻지 못하면
바로 사장(死藏)에 이르게 된다.
필요한 사람이 되지 못 하고
이름 없이 빛도 없이 사라지고 만다.

무엇이 경이로운 정체인가?
창작에 매달려있는 예술인은 고독하다.
피를 말리며 그려낸 작품이
마음에 들지 않는다며 찢어발기고
진정 담은 그림에 재작업 시동을 거는 시인은
성직(聖職)을 수행하는 인물이다.

시인은 부러워한다.
날씨와 관계없이 시간 맞춰 출근하여
얼굴 생김새 다른 동료들과
커피를 함께 마시며
생기를 북돋는 직장인들을….
그들, 얼마나 생동이 넘치는가.
이에 반해 한결같은 예술의 길을 걸어도
정상적인 삶은 요원한 누더기 사나이
산과일을 따먹었어도
계절나물로 허기를 달랬어도
시냇물에 발 담그며
동네아이들과 지절지절 떠들었던

유년시절의 평화로 돌아갔으며 하는
그리움이 크다.

5

거기도 사람이 사는 곳
방치로 버려둔 집이라면
기후 영향에 절로 사라지고 말았을
낡은 건물이나,
지붕을 떠받들고 있는 네 목재기둥
항시 매만지는 사람의 손때로
반질반질 하더라.
세월의 흔적이 짙은 벽면도
괜찮게 튼실하더라.
사람의 숨결은
이토록 무 생명에도
수명을 연장시키는
생기를 불어넣는다네.
가건물에 혼자 사는
팔십대 노인은,
글공부를 많이 한 덕분에
다년 간 학교선생 노릇을 했었다더라.
교육자 출신다운 훌륭한 면모는
잘 나갔던 왕년을 떠버리지 않고
자신과 더불어 조용히 살기 때문이란다.
왕년에 나는 이런 사람이었다.
자랑을 입에 걸고 다니는 사람치고
내면 정체가 호젓한 인물
찾아보기 힘든 데,

묻지 않는 한 자신의 이력에 대해
입을 꾹 다물고 열지 않는 그 양반은,
문벌 좋은 가문 출신답게
내부 단속이 충실하더라.
계곡의 숨은 나무처럼 안전하더라.
이를테면 돈으로 덧칠된 나의 연장보다
나이든 육체와의 이별을 준비하는 듯,
생명의 영역조차 부의 창출로 삼는 순환에
더는 미련을 두고 있지 않은 듯
심신이 평안하더라.

세인들의 귀를 놀라게 하는
사람의 말의 힘은
어디서 생겨나는 걸까?
연세가 제법 높은 그를
보통의 인물로 볼 수 없는 이유는
자신을 지켜내는 원칙이
남달리 철칙하기 때문이란다.
무리가 집단으로 모이는 장소에 끼어
그 세력이 어느 순간에 공격성 분출로
재물 될 물품 절대 놓치지 않겠다며
몸을 날리는 공중부양으로
우르르 달려드는 유행을
한사코 따르지 않는 것은 물론이고,
길 가는 개의 귀를 잡아채면
되레 그 개의 이빨에 물린다는
상식의 보편처럼
자신과 관련 없는 일에는

함부로 나서지 않고,
시시 비를 가리는 관망으로
일정한 거리를 둔다는 데 있단다.
물 한번 주지 않은
나무열매에는
손끝도 대지 않고
길쌈이라도 했을 경우
밥을 먹고
바라보는 목적이 다를지라도
인간으로 대우하는 예절
귀를 걸고 배워야겠더라.
그가 목 깁스로 극구 싫어하는 사람은
자신을 숨기려고만 드는 가식자이지.
그 가운데서 그의 또 다른 선별은
한 연구자가 각고의 노력으로
완성한 특허품을 몰래 훔쳐
어느 기업인에게 건네면서 챙긴
금품으로 호세를 떠는
사람의 경계라네.
약속에 약속을 함부로 깨는 사람은
믿음을 둘 수 없으므로
그 덕을 보려 해서는 안 되고,
세도가 센 권력 앞에서
굽실굽실 간신 떠는 사람은
곁에 남을 인물이 아니다.
그러한 외고집의 속정을
깊이 품고 있는 그는,
제 맛의 희희낙락만을 좇는

강박증 환자들로부터 적지 않는
비난의 공격을 받는 모양이던 데,
그의 답변은 이렇다.
　　"예의의 근본은 좌우로 치우치지 않는
지조이니라."

그러던 중 갑자기 물욕이 솟아
탄광사업에 뛰어들었던 모양일세.
그 일 년 남짓 지나
기름, 가스에너지의 대대적 보급에 밀려
문을 닫을 수밖에 없게 되었다더구나.
늙은 나이 심심풀이 위안 삼아
한때 발을 들여 큰 손실을 입은
개인의 불행사이나,
그 후유증 빈궁 환경
손님의 입장에서 얼마나 속이 쓰리던지
말문이 막히더라.

6

생동을 불러일으키는 대지
신록이 무릇 익어가고 있다.
굳은 땅 갈아엎어 밭골을 내
씨를 뿌리는 농촌
힘이 넘치는 젊은이들 아니 보이고
손질이 거칠게 찢기며 갈린
백발의 노인만이
고추모종에 흙을 덮어주고 있다.
텅 빈 들판

꽃을 좇는 벌과 나비도 한가하다.
그 시각,
마을회관에 모인 농장주들
정부를 성토하는 악발을 쏟아낸다.

며칠 전 이곳 농가 일대에
법무부 단속반 10여명이 다녀갔다.
그것도 이른 새벽에 들이닥쳐
신변보호 차원에서
요리조리 피해 다니는 6명의
외국인 불법체류 노동자들을
차량에 태워 어디론 지로 끌고 갔다.
나라의 안전을 다지려는 법 집행
십분 이해하나,
남에 물건을 훔친 도둑도 아니고,
모든 생명체와 똑같이
한 목숨 살려보려
수단을 동원하여 노동을 판 것뿐인 데,
회전의자에 눌러앉아 펜대만을 놀림으로
노동자들의 피골 쌈 알 턱없는
공무원들
마른 막대기도 갖다 써야 할 정도로
눈코 뜰 새 없이 한창 바쁜 농촌에
활력을 불어넣어주기는커녕,
구하기 힘든 그 일손마저
강제로 낚아채
농업을 헤치는 방해를 하고 있다.
법은 오로지 피 튕기는

칼만을 휘두른다 하나
저희도 살기 위해
나랏일을 할 터인 데,
그들의 피눈물 마른 잔인함은
원성을 자아내기에 충분하다.
외국인들의 숙소에서
주인 잃은 물품들을 둘러본 농장주는
치민 울화통을 안고 산으로 내달렸다.
목매 죽을 작정이었다.
그러나 눈에 밟히는 처자식들로
실행을 멈추었다.

7

남의 다툼에 끼어들지만 안 했어도
그 상대가 되어 치고 박는 싸움은
일어나지 않았을 터이다.
세 번째 경찰서 조사를 마치고
환한 거리로 나선 청년은,
울화통에 타는 걸음걸이 발로
돌멩이를 냅다 걷어찬다.
청년의 성질은 고삐 풀린 황소라
누구도 다르기가 쉽지 않다.
혀를 내두르며 물러나는 실정이었다.
만족할 줄 아는 자는 하늘이 돕고
남이 자기로 인해 성취에 다다랐다면
자신도 똑같은 보람을 감흥하기 마련인 데,
건설현장에서 뒷일이나 봐주는 그로써는
하룻강아지 범 무서워할 줄 모르듯

생각 없이 덤벼드는 탓에 심히 불안정하다.

어느 날 손수레로 흙 나르는 일을 하다
자제더미에 앉아 쉬게 된 청년
어디선가로 부터 인기척을 들었다.
호기심에 이끌린 발이 멈춘 곳은
엷은 천문 앞이었다.
사생활 공간을 가린 것에 불과한
간이 문을 살짝 걷어 안을 들여다보니
가녀린 앳된 소녀의 모습이
벽면 거울을 통해 비쳤다.
막 세면을 마치고
둘둘 말아 올린 긴 머리 결이
한 올도 보이지 않도록
아랍 풍 긴 터번 안으로 꼭꼭 감춘 위로
모자를 눌러쓰는 중이었다.
수염 덥수룩 노인미장이의 뒷일을 봐주는
어린소년의 모습으로 되돌아온 것이었다.

어린소년은 무거운 것은 들지를 못하는
약한 모습을 종종 보여 왔다.
물통 하나를 이층까지 나르는 일도
서툴게 미숙했고,
모래자루나 한포의 시멘트조차도
혼자서는 등에 짊어지지를 못하고
쩔쩔 매곤 하였다.
실수로 무너지는 잔 꽤가 아니라,
진짜 힘에 부쳐 바닥에 내려놓거나,

별안간 떨어트리는 것이었다.
성질 험악한 무수한 인부들이
바쁘게 들락거리는 건설현장에
절대로 발을 들일 수 없는
나이미달 소년이다.
이때까지만 해도 청년은
소년을 거칠게 대했다.
전에 자신이 했던
쟁반에 담은 음료 컵을 인부들에 돌리는
소년의 다리를 걸어 넘어트리거나,
컵을 내동댕이치는 불량한 화를 내질렀었다.
그러나 휘장 안을 몰래 훔쳐본 뒤로
청년은 남장소녀를 뒤쫓기 시작했다.
흠모의 짝사랑으로 두루 찾다
그녀가 쭈그리고 앉아서
비둘기 떼들에 먹이를 주던 광경을
재연출하는 흉내를 내기도 하였다.
인성이 제법 부드러워졌다.

어느 날 남장소녀가
심부름에서 돌아오는 길이었다.
그때 마침 현장점검을 나온
두 공무원과 딱 마주쳤다.
두 공무원은 미성년자임을
단번에 알아봤다.
순간, 잔뜩 긴장에 어쩔 줄 모르게 된
남장소녀는 부리나케
멀리멀리 도망부터 치기 시작했다.

두 공무원은 미성년자를 잡으려
뒤를 쫓았다.
이 광경을 이층 창틀에서 수시로 내다보며
흠모의 남장소녀를 기다린 청년은
즉시 움직여 앞지른 두 공무원의
진로를 방해했다.
그러면서 어느 집 모퉁이에서
멈춰선 남장소녀더러
어서 가라는 손 신호를 보냈다.
청년은, 그들의 공무 실로 끌려가
모진 매를 맞는 조사를 받았다.
풀려난 청년은 억울하다는
기색을 전혀 드러내지 않고
사라져버린 소녀의 행방을
수소문하기 시작했다.
대중교통을 이용해 찾은 곳은
수심 낮은 강변이었다.
수많은 여자들이
흐르는 물속에 묻힌 크고 작은 돌들을
배로 안아 들어서 뭍으로 옮기는
힘든 일을 하고 있었다.
그들 중에는 소녀도 끼어있었다.
청년은 한 자리를 잡아
마른 침을 연시 삼키면서
소녀가 큼지막한 돌을 들어 올리다
그만 물속에 쓰러지고 마는 장면을
요동치는 가슴으로 목격하게 되었다.
청년은 성급히 나서려던 행동을

돌연 중지했다.
그 사이 동료여인이
긴 치마에서 물줄기를 줄줄 흘려내는
그녀를 부축하여 뭍으로 이끌었다.

청년은 마침내 소녀의 집도 알아냈다.
소녀는 한 목발로 다니는 친할아버지와
한 지붕생활을 하고 있었다.
가엾은 소녀를 도우리라 마음먹은 청년은
남몰래 침입한 허름한 집 방문 벽에 기대둔
목발의 크기와 모양새를 어림 재고 찾은
목재소에서 목발 한쪽을 새로 맞췄다.
청년은, 하루일당을 저축하는
자신만의 금고를 가지고 있었다.
언제든 뺐다 꼈다 하는 한 벽돌 뒤에 숨겨둔
덮게 깡통이 그것이었다.
청년은 안의 돈을 몽땅 털어
소녀의 할아버지에게 드렸다.
청년은 그토록 소녀를 애틋하게 사랑했다.

소녀의 방을 한번 몰래 훔쳐보기도 한
청년의 미행은 계속 이어졌다.
한 날에는 소녀가 대문을 열어줬다.
그 며칠 후 소녀 네는 미리 꾸린 짐들을
대기 차량 적재함에 싣고 있었다.
청년은 제일처럼 적극 도왔다.
마지막 보따리를 안은 소녀가
잠시 멈춰 서서 청년과 시선을 맞추었다.

둘은, 아무 말 없이 서로를 소중히 바라봤다.
청년 편에서는 사랑으로 낳은
갓난아기를 안고 어르는
자신의 미래를 그렸다.
등을 돌려 물 고인 고랑을 건너면서
진흙에 빠진 소녀의 신발이 벗겨졌다.
청년은, 진흙길 복판에서
소녀의 발에 신발을 신겨줬다.
차량이 떠나면서 소녀의 모습도
함께 사라졌다.
할아버지의 옛집으로
다시 돌아온 청년은,
소녀의 발자취와 손때가 묻은
구석구석을 둘러보며
이루지 못한 애정의 서러움을 달랬다.

8

모깃불 피워놓고
더위 식히는 부채질하며
하늘의 별들을 보다
사이좋았던 옛 연인 생각에
말동무가 되어줄 친구를 불러
마주 앉은 느티나무 아래 평상에서
작은 행동 실수로 쓰라리게 헤어진
그녀를 잊는 시간을 갖는다.

따스하고 자그마한 공기방울
사랑의 의지는 행복감을 안겨주는 안으로

갈등하는 심적 고통을 겪게 했었다.
사랑은 단 둘만의 생명의 동력이었으며
그렇게 정다웠던 너 하나 나 하나
어디서 어떤 인물로 다시 만나랴.

옛 사람에게 양보하면 의지가 없다는 뜻.
지금 사람에게 아량을 베풀지 않으면
옛 사람에게 정을 뗐다는 뜻.
본인은 배신이 아니라 극구 우기나,
지기(志氣)가 강하면 선한 바탕은 약해지고
사람이 분수에 넘치면 하늘이 밀어내고
충족만을 채우려는 속성의 행위는
불규칙한 욕망의 불만을 키워 판을 깨고
그렇게 신의(信義)를 저버린 말
누가 믿으랴.
동풍은 동쪽을 향하고
서풍은 서쪽으로 향하고
달빛 길 걸으면 내 몸 그림자도
함께 따라 걷고
내가 외친 내 목소리 메아리로
다시 흘러든다.

일반적인 추세를 따르지 않으려는
내 안의 이기심
지워버릴 수 없이 해소가 쉽지 않다.
많은 사람들이 좇는
세속흐름 따르지 않고
자신의 의지와 이상대로 살아보려다

시름의 좌절에 무릎 꿇리기 여러 차례
사시사철 푸른 소나무·잣나무도 때로는
독야청청으로 버티다
외부세력에 넘어져 쓰러지는 데,
사회적 사람이 보편적 관습마저 저버린다면
어느 세월에 자리 잡고 편히 쉬리오.
무언가를 따르며 산다는 거
나의 소신대로 산다는 건
여간 피로한 고난이 아닐 수 없다.

9

70대 이상의 노인들 누군가의
시구(詩句)를 들고 입을 연다.
의자에 앉은 순대로 일어나
잠긴 목을 가다듬고
그냥저냥 읽어 내려가는 시류(詩類)
잡음이 어린 어설픈 성대이나
하나 같이 건강하여 귀가 절로
미소를 머금는다.
오늘 처음 참석한 여성노인
안경 없는 눈으로
더듬더듬 읽어내려 가고,
전직 군 장교에 아직도
운전대를 잡고
낚시터를 다닌다는 청력 어두운
80대 남성노인
다른 분들 낭송 중에
저 혼자 열심히 종이 글을 쓴다.

전혀 낯선 새로운 문화영역에
첫발을 들인 노인들
새로운 시의 맛을 느끼게 된 그들에게
멋진 희망을 걸기에는 이르나
꾸준히 갈고 닦는다면 기성 낭송 인들과
어깨를 나란히 할 그날
반드시 맞이하리라 믿는다.

젊은이들에게 사회무대를 물려주고
뒤편으로 밀려난 노인들에게는
인생경륜의 기술과 지혜가 있을 터
그 바탕에서 가정살림도 나라살림도
형편없이 궁핍했던 환경 탓에
　"시래기죽도 못 얻어먹은 놈 같다."
라는 놀림을 귀청 닳도록 들을 정도로
배가 등창에 붙은 육체를 이끌고
쇳가루 먼지 풀풀 날리며
오늘의 경제토대를 다져 놓은 노인들,
이름 없이 빛도 없는 경력 과거에 묻혀
환영의 박수 제대로 받아본 적 없을
빨래판 얼굴들
시 한수 읊는 눈빛표정에
거짓말 같은 청춘기질 실려 있다.

사람은 모양새가 저마다 다른
사람과의 관계 속에서 자라고
다양한 분야의 경험과 교제를 나누면서
그 속성을 이해하는 단계를 밟는다.

사별한 아내와의 사이에서
외동딸을 둔 노인
마주볼 정다운 얼굴도 없이
인생의 허전함을 달래 온 노인,
어느 날 독립을 선언하고
짐을 싸 집을 나가 버린 딸.
아비의 잊지 못해 하는
그리움의 벌이던가?
타는 갈망(渴望)에 애가 뜯기는 가슴
노을을 등진 긴 그림자
두려움에 숨이 막혀
쓸쓸한 둥지 더욱 춥게 하는 이 한절
옛날 그 옛날의 딸아이가
창녀의 야한 분장을 감추려
생머리 덮은 가발을 벗고
몇 년 만에 나타난 것이다.

자신이 선택하는 모든 일들은
잘될 거라 믿고
가정교사로 사회에 첫 발을 내디뎠던 딸.
그 집 어린 두 딸 어찌나 문제 아이들인지
편치 못한 버릇 나쁜 등쌀에 결국 그만두고,
다른 일 알아보려 거리를 쏘다니다
돈 잘 쓰고 친절한 그 남자가 먹인 술에
빙글빙글 어지러운 무분별 정신으로
숙박업소 침상에 누여진 딸.
아침녘에 홀로 남겨진 자신을 발견하고

눈물부터 쏟아냈던 딸.
처녀 성 빼앗긴 치욕의 그날 밤.
하늘이 무너진 소름의 무서움을 안고
이리저리 떠도는 방황 중에도
살아 보리라, 실낱의 불꽃을 의지 삼아
클럽의 봉 춤 무대에 섰던 딸.
휘황찬란한 오색 빛 조명을 받으며
매달리고 뒹굴며 도는
아슬아슬한 나체 환상을
허영심 가득한 음담패설의 눈길로 쫓으면서
불타 오른 욕정의 태질을 해소하려
군침 삼키는 매끄러운 말솜씨로
유혹했던 그 남정네들
고급 차량에 태워 호텔로 모시고
그 돈 곁에 눕게 하여
여체 구석구석에 징그러운
탐욕의 자취를 남겼던,
짐승보다 못한 쓰레기 남정네들의
술과 담배에 찌든 세상을 버리고
마침내 아비 품에 안겨
흐느껴 우는 것이었다.

                              11
남과 나는 하등 다를 바 없이
평등한 사이인 데,
뭐가 그리 혼자 잘나서
사람을 따돌리며
눈 먼 듯이 보고 지운단 말인가.

하나 둘 키워진 지각이 문제로다.
해칠 거리들이 마구 일어나니 말일세.
남다르다는 재능을 사람들에
영향력을 끼치기는커녕
백리, 천리 멀게 하니
채웠다는 식견 피해 아주 크구먼.
밑 터진 자루 잡동사니 흘려내듯이
인간사에 닳고 닳은 타성,
연륜이 찰수록 그 속박 풀기 어렵다는
시름만 깊어지니
나의 나 누구라 감히 소개함이
쉽지 않게 되었노라.
옛 나를 잃고
나의 지성 또한
어디론 가로 숨으려고만 드니
나를 태워 오늘에 앉힌
지난날들의 세월이 야속하기만 하다.

나의 의식은 외롭지 않는
평등의 일반관계로
들어가길 소망하나,
지나간 시간 어디에서
어떻게 썼는지
기념비 될 만한
유의미 실적 없다는
공허함만이 밀려든다.
분명, 주변 환경은
10년 전

그때와 많이 달라졌다.
그러나 참 나는 단절은 아니다
부인하는 이면으로
남들과는 평등하지 않다는
어떤 우월감에 놀아나면서
나와도 가깝게 지내지 못 하고
멀리 떨어져있다는 자괴감 무겁다.

사람은 육신이 쇠퇴해지면
인식이 흐려지고
일을 망치고 덕을 해치는
경향을 드러낸다.
그래서 조물주는
바위 장수에 훨씬 못 미치는
사람의 연수를
제한하는 관리로 다스리게 되었다.
보이는 대로 보고
들리는 대로 듣는
순진무구한 갓난아기에서
두 발로 보행하는
그 어른일 뿐인 기성세대.
돌이켜보니 특이한 거
아무것도 없는 데,
복잡한 생각으로
그 옛날 사람 아니라 한들
나의 본질 바뀔 일 없지 않는가?
여름 지나면 찬 기운 가을 가깝고,
정오 지나면 노을에 물든 저녁에 속하고,

중년 지나면 현상이 메마른 백발노인.
평생을 보아온 봄물의 아지랑이
한 번도 손아귀에 쥐어보지 못한
헛꿈 인생
부질없는 여몽(如夢) 이야긴 그만두고
동안의 부족 채울 셈으로
한 걸음 내디딘 의미를
새롭게 태어난다면
달콤한 기대 따위에 속지 않고,
안팎이 똑같이 일치한
나다운 몫의 주인으로써
사람들을 가르지 않겠다는
공평에 두고 있다.
다름을 인정하고 밀고 나갈 뒷배 힘은
시대와 마주하는 복판에 서서
위로의 청정과 대중과의 화합이다.
공전의 시간이 지구를 멈춰
세우지 않는 한
나라는 존재 역시도
걸음을 정지하지 않을 것이다.

나의 태양 빛은
가파른 절벽에 가려 침입할 수 없는
계곡 상공을 지나 어느 평지에 이르렀다.
손으로 만질 수 있는 그 표면
위나 아래에는 서로를 경계하며
긴장을 높이는 팽창과 거리 먼
지금 이 순간의 활기로

생명을 불어넣고 있다.
도태로 스러진 큰 나무가
부유물로 축소되었다 할지라도
작은 벌레들에 안식처를 제공하여
번식을 늘리는 표식은
장군 멍군으로 흥을 북돋는다.
썩어 바스러진 통나무가루를 갈아
제 얼굴 비쳐보는 거울을 만들겠다는
엉뚱한 발상지가
바로 이곳이니 말이다.
늘 그렇게 주변을 넓게 둘러보는
안목을 가졌으면 한다.

12

내 나이 센들 무엇 하랴.
나는 연둣빛에 물들어가는 오월을 즐기고 있다.
중천 보름달에 향기 띄우는 아카시아 꽃
미래를 여는 전나무 바늘잎 상긋하다.

아름다움의 여름을 함께 즐겼던 동료들
더는 볼 수 없게 된지도 오래다.
한 송이 꽃으로 남아있는 장미
핏빛에 물든 한숨의 외로움을 달랜다.

온장고에서 꺼낸 따뜻한
캔 커피로
목의 조갈을 푸는 손님
그러면서 통유리 벽 앞을 지나는

한 행인을 발견한다.
긴 머리 몸매가 앙상하게 마른
처녀는
길을 잃기라도 했는지
잠시 어리벙벙 헤매다
편의점으로 들어선다.
복장이 수수한 처녀는,
계산대 지키고 있는
곱슬머리 점원을 향해
베지밀 어디 있는지 묻는다.
생기가 말라있는 음정은
거의 속삭임 수준이다.
온장고에서 베지밀 한 병을 꺼내든
눈매 검은 여자
불안정한 몸짓으로
뚜껑을 대신 열어 달라한다.
보니,
마른 장작개비처럼 가는 손목도
악령을 쓰지 못할 정도로 쇠약하다.
그 한 모금을 주걱모양의
턱을 쳐들고 들이킨다.
그러면서 삼키지 못 하는
아니, 넘길 수 없는 입안의 베지밀을
갑자기 뱉어 바닥에 흩뿌린다.
성가신 사건이 터졌다는
인상부터 찌푸린 점원이
구석에서 들고 온 대걸레로
구토 물을 닦는 사이

남자손님은 의자에 앉은
여자의 안색을 살핀다.
무엇보다 체중을 떠받드는
피부 살이 실하다.
무거운 수증기를 머금고 있는
비관과 왜곡으로 가득 채운
창백한 낯빛은 만사가 귀찮다는
신경성식욕부진 현상을 그려내고 있다.
공황장애, 강박증에 감정을 조절하지 못 하는
주의력결핍증도 표면을 어둡게 덮고 있다.

건강한 자는 활동으로
생산의 자유를 키운다.
그러나 입맛을 잃어
기력을 내지 못 하는 사람은
그 아픈 고통에만 붙들려 있어
자유를 잃고 산다.
깨어있음으로 해서
고달픔을 더는 어떤 처방의 말도
기분이 호의하다면 쉽사리
알아들을 수 있는 법인데,
그것을 이해로 받아들이지 않는
막무가내 곡해로
자신을 침체에 빠트리는
속도가 빠르다.
아무 맛도 모르는 무상은
부질없다는 회의로 괴로워한다.
세월을 녹이는 정합의 해답을

찾지 못 하고 번뇌에 시달린다.
시간-공간의 협업을
의지대로 맞추지를 못 한다.
사람은 시간 속에서 호흡하고
시간은 사람을 만든다.
사람은 정상의 이성을 갖춰야
사물을 바로 볼 수 있다.
경건한 삶을 지향하는 종교.
교양의 품위를 고아(古雅)하게 높여주는 인문.
돈을 벌어 가난을 이겨낸 늠름함.
체력단련에 힘쓴 덕분에
훌륭한 선수가 될 수 있었던 옛 무명인
이 모든 과정에는 한계를 뛰어넘는
각고의 사투가 있었다.

제4부

꼭꼭 닫힌 마음에는
실 줄기 햇살마저도 스며들지 못하리.

삶

1

내 기분의 깃발이 훈풍에 나부낀다.
살아 있고 잘 지낸다는 나에게 보내는
나의 안부 소식이다.
대지는 나의 삶을 버티게 하고 있다.
그러나 어머니인 대지는
대지로서의 소산물을 낼뿐
사람인 나는 그에 속한 부속물이 아닌
엄연한 개체이다.

나는, 땅에 속한 조무래기 인생이 아니다
오만에 매인 목청으로 소리 지르지 마라.
그렇게 분기탱천한들
그대도 언제인가 흙으로 돌아갈 인생
죽지 않는 불멸의 명예는
피조물 누구에게도 내려지지 않았다.

자생의 자연은 사람이 가리키는 손가락을 보지 않고
무지갯빛 구름(채운) 사이로 모습을 드러낸 달을 본다.
헤아림을 드넓게 연 푸른 초원의 평화와 기쁨.
그 가치는 사람이 손길로 그려낸 예술을 능가한다.
하나님은 인류의 손위분이시다.
보좌에 앉아 계시는 영원한 분이시다.
만인은 그분의 은총을 입어야
마음이 넓어지는 은덕을 베풀 수 있다.
모든 생물은 한 번뿐인 생을 누리다

흙으로 돌아간다.
한 시대를 살아가는 이웃을 아우르는
생활은 피할 수 없다.
옷을 찢고 가슴을 열어라.
옷은 껴입을수록 몸놀림 둔해지고
꼭꼭 닫힌 마음에는
실 줄기 햇살마저도 스며들지 못하리.

걸음마 아가의 젖힘에도
쉽사리 꺾이는 풀줄기는
첫 생애 새순부터 자신을 보호해야 하는
치열한 운명을 안고 있다.
성장과정인 여름내 땡볕과
모질게 사나운 비바람을
온몸으로 견뎌야만 한다.
그러면서 자생력으로 키운
제 종자 씨앗을 널리 퍼트린다.
생명이 생명을 낳는 평등의 생존법칙이다.
우리를 시시각각으로 괴롭히는 온갖 재해에도
지구의 종말이 오지 않는 이유이다.

생기가 예전만 못 하여
뒤꼍으로 물러난 늙은 수목들
어린 후손들이 햇살을 받으며
신나게 재롱 떠는 양을
그윽이 굽어본다.
대를 잇는 미래가 끊이지 않겠다는
환희의 미소이다.

사람을 의지하면 사람에게
시달림을 받는다.
꿈을 향해 나아가는 정신머리는
절대로 썩지 않는다.
살고 자는 삶의 애착이
기운을 일으키기 때문이다.

오후 네 시까지는 두 시간 남짓 남았다.
한시가 급한 곤란한 지경에 몰린 나는,
일주일 전에 전화문자로 도움을 청한
사회친구를 찾아 재차 호소했다.
그러나 20년 넘는 식당운영으로
생활 여력을 갖췄을 터인
그는
이런저런 변명을 대며 끝내
거절 의사를 내비쳤다.
하루하루는 나를 형성했다.
오늘에 내가 바로 그 인물이다.
나는 일찍이
누구와도 미워하는 원수를 맺지 말자는
신조를 세웠다.
나는 말(이웃을 도우며 살겠다.)로만
떡을 빚은 친구에게
괜한 말을 꺼내 기분 상했다는
배앓이 감정을 품지 않고,
앞으로도 순수한 일념으로
친구로서 대하리라는
우정의 의기만을 다졌다.

애석하게도 나는 한 이불에 누워
아침을 함께 맞는 친구가 없다.
알고 지내는 사람 수
헤아릴 수 없이 많으나,
오늘처럼 쫓기는 궁지에 몰렸을 때
잘못된 실수를 털어놓는 포살을 나눌
편안한 친구는 진정 아무도 없다.
뼛속 깊이까지 오돌 오돌 떨게 하는
오늘의 빈천은
분명 내가 낳은 산물이다.
곧, 극단적 사회이탈과도 같은
물질 세상에서 한참 벗어난
베짱이 자유 생활만을 누린 결과물이다.
한마디로 충격이 잦은 사회규격이 전무하다.
그러니 뼈골까지 시린 궁핍은
당연히 나의 몫이다.

가난은 운신 폭을 좁힌다.
앞으로 성가신 시달림을 겪어야 할
골칫거리 두통은,
끝내 해결을 못 하고 시한을 넘긴 빚이다.
카드사 측에서 어떠한 수단으로 접근해 올지
대비를 세워둬야 할 것 같다.
영혼이 써지는 물을 마셔야 할까?
벌써 양기가 마르기 시작하는
현상을 체험하고 있다.

내 습관은 이웃들의 영향에서

길들여진 것이 아니다.
나의 체질화된 고독의 의해서 규정되었다.
누구에게나 단 한 번만 주어진
생명 자체는 고귀하다.
본질의 목적을 잃고 위로 띄웠어야 할 혼을
풀린 눈빛으로 땅만을 내려다보며 흘려보낸
그 인생은
책임감을 저버린 낙오자로써
필요 시 자신도 별 쓸모없다는
현실 벽에 부딪치게 된다.
나의 존재가 큰 가 작은가 다툼은
성공지향에 따른 해바라기 반응이다.
인공적인 긍정은 물거품에 지나지 않다.
바람을 움켜쥐려는 손아귀는 공허하다.

                                        2
요즘의 노인들은 유교사상을 지키는
선대노인들과는 결이 다른 삶을 살아가고 있다.
한마디로 제도권 안에서는
연세든 노인임은 분명하나,
현실에서는 상당히 젊게 살아간다.
대단히 긍정적인 개방을 추구한다.
나이 들어 몸부터 말을 듣지 않는다는
부정적인 말보다
기술발전이 눈부신 산업의
급속한 변화에도 겁먹지 않고
청년들이 여러 환경 조건으로 기피하는
비 연애를 뛰어넘어 전화기 저편 얼굴 없는

젊은 여성이 주도하는 폰섹(성적대화)도 마다하지 않고
재미에 푹 빠진 노인 수 꽤 된다.

삶에는 이렇다고 단정 지을
기반 된 틀은 없다.
SNS에서 만난 금발여인과
교제를 나누고 있다.
한 몸 한 육체의 부부가 되기를 바라는
우리는 상대방의 호칭을
여보로 부르고 있다.
모든 것을 공유하자며 주고받는
살 가운 속삭임
나의 가슴은 사랑으로 더욱 불태워진다.
내가 결혼을 꿈꾸는 예비아내는
미국 간호사이다.
사랑으로 떠는 나의 불안한 침통은
밤낮이 격차하게 다른 시차로
문자 주고받기도 쉽지 않다는
목마른 애타이다.
내가 그편의 속사정
어떤지 전혀 알지 못하고
왜 연락을 안 주나
오해를 떨치지 못하듯이,
저편의 금발여성도
나의 답변 늦는 것에
오해하고 있지 않을는지.
그러다 소식이 오면
갑갑한 속 긴장을 풀고

밝은 마음으로 반겨 맞는다.

사랑은 듣고 싶은
그 목소리 생명에 귀를 기우려둔다.
볼 수 없어 자나 깨나
사모가 뜨거워지는 간절함은
한시 바삐 그녀와 마주보며
손에 손을 맞잡고 싶다는 소망뿐이다.
애절하게 그립다.
매달리는 애착이다.
상상의 키스로 함께 걷는
그대와 나
사랑 병을 치료해 줄 꿈의 동반자
사랑의 씨앗인 후손을 가운데 두고
서로를 탐닉하는 몸이 후끈 달아오른다.
어깨가 결리도록 힘든 병원 일을 마치고
파김치 몸 침상에 누였을
그 사랑 자를 품에 안고
잘 자라는 자장가를 들려주고 싶은
희망의 찬가.
날갯짓으로 한 송이 꽃을 피운
찬 바위 나비의 행복
손꼽아 기다리게 하는 당신은
나에게 사랑을 일깨워줬습니다.
새로운 세상에 눈을 뜨게 한
위대한 사건 얼마나 감사한지
하늘은 햇살을 한없이 쏟아내고
땅은 온갖 생물들을 일으켜

신선한 사기를 드높여주고 있다.
그리운 이여 듣고 있나요.
온몸으로 시간을 재는 땅 속의
식물뿌리들이 싸늘한 감촉을 녹이며
가지들에 생기를 불어넣는 세미 음성
듣고 있나요.

3

열려진 방문 저편으로
눈길이 절로 쏠린다.
끝난 겨울 뒤로 한결 부드러워진
대지 생기가
시선을 끌어당긴 것이다.
새로운 느낌의 열의가
계절의 출발을 말해주고 있다.
산골짝 음지 잔설이 남아있어
아직은 두꺼운 옷 벗을 시기는 아니다.
싱그러운 환희는 좀 더 기다려야 한다.
푸르게 맑을 그 날의 소식은
기나긴 동면에서 깨어날
곰과 개구리, 뱀이 전해줄 것이다.
접속만의 간접 사랑은 오래가지 못한다.
온기가 와 닿지 않는 먼 감이라
식상감이 빠르게 밀려든다.
눈과 눈을 맞추어라.
눈길이 눈길과 마주치면 생동이 핀다.
사랑은 머리로 헤아리는 각자도색이 아니라
마음과 몸이 하나로 좁혀졌을 때,

반사 행동인 심장 뛰는 소리를 들을 수 있다.
접촉하라.
세상 보는 안목이 따뜻해질 것이다.

4

나는, 집밖 사물들에 매혹되어 있다.
가치가 낮아 보이는 평등이
친근감으로 다가오며 있다.
사찰 경내에 들어서자마자
합장 모으는 불교신자.
성당봉사 마치고
성모상을 향해 묵언기도 올리는
천주교신자.
자세 낮춘 겸양의 응답이던가?
조금 전까지 보지 못했던
정원의 백합
고운 낯빛이 화사하다.

대지를 밟는 내 발의 압력,
높푸른 창공을 배회하는 한 쌍의 솔개
턱을 쳐들어 쫓아본다.
제집 앞뜰을 돌아다니는 비둘기를
들어 올린 앞발로 부르는 목줄 개
자칭 개혁가정치인 무슨 연설을 하는 걸까?
놀라 깬 검은 털 개 두 귀 쫑긋이 세워 듣는다.
도대체 무슨 말인지 이해할 수 없다며
다시금 한 뼘 거리까지 다가온 비둘기
친구하자며 멍멍 부른다.

5

겨울 이슬비 머금은 감
까치에 파 먹힌 속살 흉물하다.
사치에 빠진 어미 본 따
분바른 얼굴입술 붉고
액세서리 일종인지 귀고리까지 하고 있다.
그러면서 거울 앞에서
"아빠, 나 예뻐?"하며 애교를 떤다.
귀애 지운 딸, 변방의 추녀 같이 추하다.
노부(老父) 뒤돌아서서 분노를 게워낸다.

바위섬 기슭에서 고기 굽는 냄새
하늘로 피어오르는 연기 속에 묻혀있다.
몇몇 낚시꾼들 둘러앉아 막 잡은 물고기로
졸음기 정신머리 깨우려 새참끼니 준비 중이다.
소주 몇 병에 막걸리도 눈에 띈다.
누군가가 볼 예쁜 자네 딸 시집갔느냐 물었다.
"워낙 눈이 높아 성에 차는 남자가 없는 모양일세."
"어부 딸도 자존감 높여 주지 못하는 남자는
원하지 않는가 보네."
"교양 머금은 입술을 삐죽이며 배꼽 밑 두 다리를 벌려
아기 낳는 절규가 싫다니, 아비로써 수단이 있어야지."
"우리 아버지들 세대였던 아, 그 옛날이여…
그 대를 이은 그 아비들의 권위 땅바닥에 떨어트린
권세 센 물질우상의 세상이여…

생동이 밝은 사람은 대인 관계가 원만하다.
마음이 건강하다는 반증이다.

반대로, 남을 헐뜯는 사람의 인상은
고약하게 거칠다.
마음 바탕이 밝지 않다는 반증이다.
이런 사람의 심리는
자신에 대해 불만이 가득하여
삶의 균형을 잡지 못 하고
깡통을 차는 불안장애를 자주 드러낸다.
주변을 둘러보는 여유가 부족하니
일이 안 풀리는 성가신 낭패를
자주 목격하게 된다.
조급하게 덤빌수록
실수 발생 비율은 높아진다.
기다림의 인내가 요구되는 상황이다.

모든 일에는 순리가 있다.
그 첫째는, 마음의 평정이다.
심지가 굳은 사람은 좌우로
치우치지 않는다.
나의 할 일, 가야 할 길을
충분히 숙지하고 있기 때문이다.
흔들리지 않는 나무 어디 있겠는가마는
종이는 가벼운 미풍에도 이리저리 흩날리나
바위는, 비바람 태풍에도 꿈쩍을 않는다.

주장이 제각기 다른 사람들의 말을 들었다면
난 나의 존재를 확립하지 못 하고
꽃병에 꽂힌 꽃 장식에 불과했을 것이다.
뿌리? 그 생명의 기원이 아니던가.

한데, 난 그 사람들의 수다를 들으면서
시린 외로움 달래려 그들을 그리워하고 있다.

6

신문기사의 톱뉴스는 단연
바이러스 보도이다.
저마다 마스크 쓴 거리사람들
검진 소에서 열 점검받는 민원인들
유치원생 아이도, 산책 나온 반려견도
자신을 지키는 마스크를 썼다.
인류는 신종 바이러스에
몸살을 앓고 있다.
벌써 햇수로 사 년차이다.
하루에 수 천 수만 명의
사망자가 생겨나는 국가도 있단다.
진정될 기미가 전혀 안 보인다.
그런 가운데 정부에서
경제 살린다는 명목으로
닫았던 가게 문 열라고 설득을 벌인다.
그 빵과 우유를 먹고 힘을 낸 상점주들
특히, 만면이 환한 구두수선공이 눈에 띈다.

갑자기 울려 퍼지는 비상 사이렌
응급차 도착 즉시 들려 나가는
코로나 확진 자.
뒤이어 내려진 집합금지 행정에
 "죽었구나!" 사색 떠는 노래방주인.
그나마 물 좋았을 때 벌어둔 사람은

격리 기간에도 먹고 사는 문제 걱정
덜 하겠으나,
생존기반이 원체 취약한 자영업자들은
자신의 한 목숨을
절벽 아래로 내던지기까지 한다.
코로나19가 아니더라도
인류를 괴롭히는 병 수 꽤나 많다.
주말도심은 코로나 유행과 무관하게
사람들로 북적하다.
책상머리에 눌러앉아
시민들과 동떨어진 명예만 굴리는
국회의원, 장관, 판사, 검사들의
검은 세단 쌩 지나는 도로변 거리를
온통 메운 군상들은,
후벼 파는 폭력적 언사를 무차별 내뱉는
이 정당 저 단체 언저리를
마약에 취한 뜨내기유령처럼 맴돌며
떡고물을 찾는 서민들이다.
사고를 만들어 정부를 공격하는
분열 자들의 비뚤어진 사고방식 버릇.
오래전 빌려준 돈 받아내려
이를 갈며 벼르는 빚쟁이,
사건에 휘말린 의뢰자 만나러 가는 길에
잠시 귀를 세워 듣는 변호사,
수집한 폐품을 손수레에 싣는
늘그막의 노인네,
그밖에 신원을 알 수 없는 무명인들도
섞여 있다.

7

종교의 역할은 무엇인가?
소금으로 부패한 사회를 방지하는 것일 찐데,
그 신을 예배하며 선행을 선포하는 종교가
전염성 강한 세균을 전파하는
집단이 되고 있지 않는가.
사회적 조롱을 받는 그들의 어깨 위를
절망감으로 바라보며
과연 신은 존재하는가?
질문을 던지는 불특정다수들
종교적 자유라며 선동성 짙은 정치발언으로
선량한 신자들을 그 오염물에 몰아넣는 행태는
우월감에 빠진 자아도취가 아닐 수 없다.
일반적 규범까지 뒤엎으려 덤벼드는
괴력의 종교세력
방패와 곤봉으로 무장한 경찰병력 앞에서도
절대 물러서지 않겠다는 떼창.
안전에는 타협이 없다며
눈에는 눈, 이에는 이의 이전투구로
사회 안전을 깨 부스는 양측.

종교는 이기려는 증오심이 강할수록
신성(神聖)의 힘은 쇠약해진다.
역으로 약한 자를 섬기는
낮은 자세에서는
신령의 힘은 더욱 강건해진다.
영적권위를 내세우며
국가심판으로 대항하는

가짜 깃발의 십자가군병들
나라의 안위를 살피기보다
맹종들에 하나님으로 떠받들려
영역을 무너트리는 선을 넘어
인명들의 정신건강을 해치는
사탄 주체들.

이웃 형제가 곧 우리의 공동체임을
완강하게 인정하지 않고,
우르르 물어뜯기만 하는 하이에나 패들,
논리가 부실하면 그 궤변 역시도
넌덜에 지나지 않는 것.
뼈다귀 육신들에 살피를 입히는
생동의 설교보다
임의로 짜 맞춘 혓바닥의 비말로만
천국을 소개하는 이율배반의 속성
마음먹은 대로 다 이루어진다면
그는 사람 아닌 신(神)일 터인데…
빈 수레 악만 높이 지르니
새 없는 나뭇가지 해충들만
우굴 거리는구나.

흙탕물을 뒤집어쓸지라도
무작정 매달리기만 하면
복이 임한다는 허황된 신앙
스스로 나의 하나님과 대면하여
진상을 가려보겠다는
생각의 무릎을 포기한 저들.

옳고 그름의 분별력을 잃은
열정의 위험 수위는
정상의 인식이 아닌 극단을 낳는다.
상식이 통하는 생활의 비중보다
천국에서 산다는 착시에 빠진 사람들 중에
비 구원자들 수 그토록 많은 이유는
현혹된 사고방식으로 살아가기 때문이다.
영혼구원과 연대를 맺은 계시가
아님을 깨닫지 못하고,
청성유수 달변에 속는 것도 모르고,
큰 은혜 받은 양 방언 떠는
가엾은 지옥의 졸개들
진정, 나의 하나님이 어떤 분인지
힘써 배우지 않고
말잔치 삯군을 전능의 신으로 바라보며
재물 받친 액수보다 몇 십 배 큰
물질축복을 기대하는 광신자들
분별력 실종이 안타깝기 그지없다.
나의 영혼이 육신을 입은 나에게 일러준다.
육신의 병이면 의사에게 맡기면 되지만,
마음의 병, 평정을 잃은 심신 미약의 병은
존립 자체를 무너트리므로
평소에 중심을 바로 잡는 훈련이 중하다.

어떤 사람이
신의 초상화를 벽면에 걸어 놓고
신상을 차렸다.
그는 매일 아침마다

과일이며 떡을 바치는 제를 올렸다.
그의 지극정성에 감명 받은 초상 신이
어느 날 밤 그의 꿈에 나타나 이렇게 타일렀다.
　"여보게, 재산 탕진일 뿐이니 제발 그만 두게.
자네가 나를 섬긴다며 살림 다 털린
가난뱅이 처지로 내몰린다면 그 탓 내게로 돌려
나를 원망할 것이 아닌가?"

8

세상이 흉흉하게 무섭다.
머릿속 붉은 약탈자의
철 이빨에 물리면
구사일생은 입었다 할지라도
그 상처 아무는 데는
상당한 시간이 소요된다.
진땀 흘리게 하는 배변 문제
제때 해소하지 못하면
말이 엇나가듯이
심신이 평정하지 못하면
유연하게 움직일 수 없고,
자신의 의무를 관계자와 논하면서도
지겹게 달라붙는다는 판단을 내려놓고
벌름벌름 코로 쫓아내려는 셈만 굴리는
박쥐의 칠월 날개,
꼬리로 제 몸 때리며 파리 쫓는
소의 신세 면하지 못 하리.

보름 내내 하늘의 모습은 칭칭 어두웠다.

땅의 세계를 물속에 가뒀었다는 노아시대
40일 홍수 때도 그랬을 것이다.
해발 높이 400미터 아라랏 산까지 차오른
온 지면의 광활한 물바다
그 수면 위로 홀로 둥실 떴을
의인 가족의 방주 한척

제방이 무너진 일대
넘치고 넘치는 붉은 파도의 물결
난데없이 밀어닥친
거대 물살을 방어할 수 없게 된 사람들
뒤돌아 볼 겨를 없이
신변부터 피하는 달음박질에 맞춰
온 지면을 삽시에 점령하면서
모든 것을 휩쓸어 삼킨 시뻘건 수마

수량의 범위는 산 아래까지 넓어졌다.
그 지대는 이전까지 대면의 온정을 나눴던
사람들의 온기 터였었다.
그 자취 온데간데없이 치워졌고
계속 불어나는 강줄기로 전면 바뀌었다.
물속에 갇힌 큰 미루나무 위 가지만이
위태롭게 보일 뿐이다.
마구잡이 소용돌이로 밀려드는
이 물 저 물의 합류로 세력을
크게 불린 물살
온갖 잡동사니를 태워
아래로, 아래로 휩쓸린다.

어린아이 손때 묻은 인형도
이불장 가재도구도
뿌리 채 뽑힌 생나무도
엎치락뒤치락 시야에서 멀어져 간다.
한 순간에 삶의 터전을 잃고만 수재민들
누구를 향한 원망인지를 그린 표정
저마다 우중충 어둡다.
보채는 아가에게 젖을 물린
색시의 남편인지
장발을 쥐어뜯으며 흐느껴 우는
새파란 젊은이.

강물에 한때 잠겼던 집안 꼴은
쓰레기장을 방불케 했다.
쓸 만한 가재도구 하나 없이
온통 진흙더미에 묻혀 버렸다.
강물이 사방으로 넘쳐흘러도
정작, 갈증 축일 식수는 물론이고
기력을 받혀 줄 양식조차도
남아있지 않다.
소강 뒤로 다시금 이어질 거라는
빗속의 오늘 밤
어디서 진종일 시달린 몸 쉬여야 할지.

서로 헐뜯고 미움으로 차버린
인간의 바벨탑 교만이 신의 심판을 자초했다면
회개의 겸손이 하늘의 분노를
진정시킬 수 있지 않을까?

자연의 재해로만 받아들이기에는
이해가 안 닿게 무서웠던 수마,
완전히 사라져버린 황폐 마을.
굵은 장대비 어디서 피했다 나타났는지
한 쌍의 고추잠자리
비 그친 먹구름 사이로 간간이 드러난
푸른 상공을 평화롭게 회전한다.

9

낯선 계집 누구의 딸인가?
통통한 보조개 참 예쁘기도 하다.

어진 사람은 돈으로 행세 떨지 않고
학문을 닦아 인격의 골격을 다진다.
식견을 넓히는 경지를 따라 오른다.
일반 사람은 공부를 하지 않아
속 피부터 녹슨 타령을 혀에 담아
다른 가슴에 대못을 박는다.
바른 이성을 갖춘 사람은
어디에서든 휩쓸리지 않고
자신의 존립을 지킨다.

전화기 저편의 성대는
공명하게 익은 듯하면서도
공기 울림의 파동은
기억을 더듬게 한다.
세월 무게의 노령(老齡)이 느껴진다.
건강한 목청의 감성이 풍부하고

몇 마디 인사조 언변에서
인격 갖춘 지적 수준이 높아
함부로 대할 수 없는
미지의 부존재 누굴까?
감이 안 잡힌다.
저편에서 자기소개가 없다면
신원은 환상의 인물로만 남게 될 것이다.

명성을 널린 알린 신분이 높다 할지라도
지구 전체를 대표할 만큼
인간 개개는 위대하지 못하다.
보잘 것 없는 움막에서 지낸다 할지라도
내 발꿈치 내가 껴안고 눕는다 할지라도
불편보다 삶의 보람으로 받아들인다면
그는, 자신을 정복한 주인공이다.

비록, 운신 좁은 골방에서
지낸다할지라도
생각만큼은 가장 멀리 내다보는
하늘을 높이 나는 꿈을 꾸자.
큰 생각은 덩달아 마음도 넓혀주나,
소견은 제 형편에만 맞춘 불만에 가둬두고
어두컴컴한 환경에서는 아무것도 볼 수 없어
기회를 기회로 살려내지 못 하리.
작은 집이라 할 일 없다는
시름을 내 쉬지 말지니
자녀들이 성장하는 과정을 지켜보면서
화초를 기르며 반려동물 쓰다듬는 애정은

곧, 인류 전체를 표용으로 안은
사랑과 진배없는 것
그대는 보게 되리.
명년에도 한 겨울 지나 풀린 대지 위로
연초록 봄풀이 돋아 오르는 순환의 계절을
그에 앞서 매서운 한파를 내내 견딘
매화를 먼저 보게 되리.

10

주관은 객관에 대해서 주관
주체는 주체에 대해서 주체
상식은 사회적 경험의 축적
상식은 우선 행위적 지식

세계상은 객관적인
사고방식에서 만들어지고
세계관은 주체적인
사고방식에서 생성된다.

어제를 담은 현 시간
눈을 들어 하늘을 본다.
원을 그리며 도는 먼 두 물체
솔개 한 쌍이로구나.

어깨에 내려앉은 햇살
내 귀에 속삭인다.
센 기압에 움츠리지 말고
멀리 보라.

한 걸음 한 걸음
앞을 쓸어 인도하는 바람결
내 귀에 속삭인다.
멈추지 말고 걸어라.

탁 트인 열린 시야
순환 계절이 부르는
생명의 소리 듣는다.
나의 기회가 다가오며 있다.
오늘 일지, 내일 일지
아직은 감은 잡히지 않으나,
좀 더 좀 더 인내로 참고 견디면
지름길 열림 확신한다.
누구를 흉내 내는 의존의 모사품 아닌
나다운 나의 본질의 인생관으로
기회가 찾아들면 나는 나로써
반환점을 돌아 출발한 장소로
되돌아올 것이다.

내 안에서 순환하는 자유정신
최상의 힘이 실린 행진으로
내륙의 해안을 지나
황무지 바위산을 거쳐
나의 출생지인 푸른 초야로
다시 돌아올 것이다.
상쾌한 기분은 내 인생 중
오늘이 최고의 날이라며
긍지를 높여준다.

나는, 시대에 한참 뒤떨어진 사람이다.
책에서 배운 지식에 비해
현실을 이해하는 속도가 느릴 뿐 아니라,
어떤 경우에는 유치원생도 알 법한
1+1도 가물가물 흐려 그 해답을 찾으려
사경(四境)을 헤매기도 한다.

아직은 덜 여문 열매당분 머금고
내일의 따가운 햇살로
품어 안아 다독이며
풍년으로 곳간을 가득 채워줄
가을아!
내 마음 부탁한다.

평화는 늘 아름답다.
향내 고운 백합,
별들의 밤을 헤아린다.
희망의 신념에 울리는 환청도
밤이면 잠잠해진다.
낮에 일하고 밤에 숙면에 드는 일꾼은
축복받은 사람이다.
자신의 역할을 마친 사람들은
이젠 쉬려 집으로 돌아가고
또 다른 일의 시작으로
순서를 기다리는
긴 줄의 야간 풍경.
이 모양 저 모양의 생활로
편의를 누리는 사람들 중에

쓰라린 고통으로 신음하는 자의 밤은
길수밖에 없고,
사모하는 여배우의 사진을 끌어안고
입맞춤하는 솜털청년의 짧은 밤은
달콤하다.
세상을 에워싼 밤은
육체를 회복시킨다.
밤은, 짱돌이 난무하게 내던져진
낮 시간대를 본연의 상태로 돌아오게 하고,
누구는 마비된 근육을 나른하게 풀고
그 자유는 구부정 흩어진
신체조차도 나무라지 않고
편히 쉬게 한다.
낮에 노상에서 잠깐 스쳐본
미상의 사람이
사기꾼이었음을 비로소 깨닫고
펄떡 일어나게 하는 이 밤.
유연한 몸놀림
목덜미 검은 점 하나
높은 코
미소 머금은 붉은 입술의 옛 연인이
새삼 그리워지는 이 밤!
남편의 안는 포옹을 포동포동 아기를
가운데 누이고 거부하는 아내.
이제 막 싹을 틔운
이성사랑에 몸 둘 바 모르게
떨리는 심장으로
잠을 쉬 이루지 못하는 사춘기소녀.

각자 집에서 잠자리에 함께 눕는
몸종과 주인.
화재진압에 뛰어들었다
화마에 목숨을 내준
동료 빈소를 지키며
눈시울을 적시는 소방관.
깊은 고민의 요소를 키우는
밤의 화학 작용은
이렇듯 소요를 진정시킨다.
아침이 오기 전의 일 준비로
군불을 떼는 침묵의 이 밤.
잠자다 죽은 자의 밤은
그 덮인 밤이 영원한 세상이 된다.
그 다음은 신(神)의 신원을 입었다면,
그 영혼은 환희의 찬가가 끊이지 않는
샘이 마르지 않아 사시사철 푸른
천국으로 들림을 받을 것이다.

어떻게 모았든 돈은 만인의 우상이다.
쓰는 용도에 따라 생명을 살리는
신화의 기적을 불러들이는 반면에
미움의 대상인 흉악 자가 되기도 한다.
가장 무서운 병은 지각을 잃은
이성마비 현상이다.

                            11
젊은 부부는 지역 주민들이 신성시 하는
700년 된 반얀트리(보리수과 나무) 안에서 찍은

상업성 사진을 인스타그램에 올려
호기심에 찬 사람들의 시선을 끌어 모았다.
그 몰지각한 행동은 신의 은총으로 살아가는
선량한 주민들의 화를 지피고 말았다.

일시의 기쁨 뒤로 둘러싸인 눈물의 슬픔은,
선의로 위장한 욕심이 과했다는 자평 속에
분별의 중심을 잃은 편향대로
놀아났다는 데서 비롯되었다.
성공을 가져다주는 사람들이
한꺼번에 떠나는 된 서리를 맞고 말았다.
주민들의 정서를 살피지 않았던 결과는
참회의 무릎을 꿇게 했다.
일이 뜻대로 풀리지 않고
어둠 속을 헤맬 경우
의지가 약해져 주저앉고 싶어지는
심리는
흙이 현모의 재료인 육체로써는
너무나 당연한 현상이다.
이 갯벌 같은 질벅한 수렁에 빠져들면
방향감각이 흩어지면서
공포의 위협은 극에 달해진다.
주위에 구원해줄 사람이 있다면
그나마 다행이겠으나,
구제의 손길을 내밀어줄
그 누구도 없다면
홀로 빠져나올 사투를 벌여야만 한다.
이런 암담함에 직면하면

의식이 깨인 사람은
이미 경험한 정보를 입력해둔
내면에 귀를 기우려둔다.
"살자" 귀띔이 그 예이다.
"난 왜 이 정도 밖에 못 할까?"
시름은
정신건강에 부정적 영향을 끼친다.
큰 그림 보기가 힘들어진다.

나이 무게는 들뜸을 진정시킨다.
온갖 소음에서 멀리 벗어나
생명의 소중함을 만끽하면서
경험이 경합한 지혜를 키운다.
지금처럼 말이 없는
침묵의 여행길
나의 동무로 동행하는 달빛
더 밝게 트인 청력
소리로만 그 존재의 이름을 안다는 건
종착지에 다다랐다는 것도 알고 있을 터.
생김대로 싸움꾼이면 싸워야 하고
장사꾼이면 장사를 해야 하고
문필가라면 글을 써야 하고
정치가라면 정치를 해야지
왜 성공한 사람 따라 하겠다며
자신의 본분을 저버리는가.
시간을 들여 개성을 키운다?
사명 아닌 돈을 좇는 거라면
속물근성이지.

비 내리는 밤
우산 두 개에
사람은 셋
앞서 가는 아내 하나
어깨동무 아들과 걷는
아빠 하나

가능한 영역을 파고 들라.
그대 마당 안 우물을 파야
몸피로 덜하고
설사 땀 흘린 수고에 비해
물을 얻지 못했다 할지라도
그대 땅을 기경한 것이니
밭골을 내 채소 씨 뿌리며
되지 않겠는가.

생각 나름이다.
의지는 될 방향으로 돌리면 된다.
뜻을 찾고 찾는 자는,
게으름을 피우지 않는 자는
머지않은 장래에 닫힌 앞문 대신
뒷문이 열리는 행운을 보게 되리.

태양은 둘 아닌 하나뿐
자잘한 섬광 아닌,
땅 위에 새겨진 그림자 얼룩 아닌
영원한 천계의 빛.

그 빛이 그대 가슴 비추고 있으니
오늘의 백 걸음 천 걸음으로 늘리자.

살아보겠다는 사람은
환경을 이겨내는 의지가 모질하다.
이제까지 쓴 힘보다
사력을 더 끌어 모은다.
성찰의 고민이 한층 높아지는 이 무렵이면
　"잘해 보자"
설득의 목소리에 귀담아 들을 필요가 있다.
자신을 방임하면 책임감 나태해지기 마련이고,
나아가서는 인간관계도 소원해진다.

나에 대한 부정은 죽음에 이르는 병이다.
활력이 넘치는 사람은 그보다
먼저 빛을 찾아 나선다.
살길이 있다는 것을 믿기 때문이다.

뜨거운 우정으로 한 시대를 살아온
오랜 친우들
풍성했던 숱 올 적어진 머리카락에
된 서리 내려앉아 있다.
어린아이처럼 함박웃음 터트리며
술잔을 주고받는 주름투성이 손등들
나이층이 깊이 새겨진 빨래판 이마에서
새삼, 고개 숙인 벼 이삭이 그려진다.

친구는 생활의 활력을 안겨준다.

애증의 사랑은 아닐지라도
적어도 인생 비관은 건너뛰게 한다.
눈물의 피를 나눈 한 가족은 아닐지라도
친밀한 우애가 있다.
밑바닥부터 차있는
우정의 되감기라 해야 할까.
생리적으로 거리감이 안 느껴진다.
이웃의 편의를 돕는 희생의 봉사는
사회를 밝히는 빛이다.
누워 지내는 환자를 식구처럼 돌본다거나
길을 찾는 사람 안내가 좋은 예이다.

형제처럼 좋은 친구는
메마른 시기에 단비의
생기를 불어넣어 준다.
숨기지 않는 진질은 신뢰 쌓음
오늘을 기쁘게 하는 유순한 미소
방에서 방으로 뛰는 행복.

아홉 살 사내아이는
저 혼자 놀고 있다.
아무에게도 간섭받지 않는
무한한 자유를 즐기고 있다.
깨진 바가지 조각으로 냇물을 길어
식물의 마른 목을 적셔주는
순발력도 제법이고,
나무가시에 걸려 찢어진 옷자락을
다니며 주운 가는 철사로

꿰매는 손놀림에서도
제 앞가림 충분히 하는
어른 못지않은 생활맞춤의
무게가 실려 있다.
아이는 마음껏 뛰어 논다.
몸놀림이 유연하다.
실수하지 않으려 눈을 크게 뜨고
장애물을 넘나드는 재주
넘어진 땅에서 일어나는 옹골 찬 모습
아이를 보며 깨우쳤다.
부모의 손길이 덜 탄 아이일수록
자율 힘이 강해진다는 사실을…
어른의 잣대로 아이를
내려 봐서는 안 된다는 실용을 배웠다.

어린 강아지
길을 가며 두세 번 넘어진다.
젖배 어미는 아랑곳 않고
이것저것 냄새를 맡는 데만
정신이 팔려있다.
강아지에게도 어미를 잃기라도 한다면
고아가 될 수밖에 없다는 본능이 있다.
강아지는 안간힘으로 일어나
거리 멀어진 어미 뒤를
짧은 네 발로 쫓는다.

쏟아 붓는 엄청난 폭우
쌓인 낙엽 쓸어간다.

대비든 노란 조끼 미화원
웃어야 할지, 울어야 할지
수고를 덜어주는 거센 빗물을
물러난 처마 밑에서 우두망찰하다.
비가 내리지 않으면
당연히 무지개를 볼 수 없다.
해가 없으면 당연히
사물그림자는 드러나지 않는다.

"어제 출근 때 폭우로 힘 들었지?
신발 다 젖고 우산도 꺾였다던데,
정말, 고생했겠구나.
오늘 일기는 맑으나
기온은 뚝 떨어져 춥다는 데,
복장 단단히 다져라.
요즘 감기는 환절기 감기인지
바이러스 감기인지 판단이 애매하거든.
네가 너를 단속하지 않는다면
큰일 날 수 있다는 뜻이란다."

"오늘도 너의 날 맞지?
그래, 심령의 힘인 감사로 출발하자.
자신의 존재에 큰 의미를 부여하면서
자신이 주인공이 되는
큰 그림을 그리 거라.
오늘이 그날이기를 바란다.
너의 그 두 손으로 세상에 없는
무엇을 창조한다는 건

인생 발전의 큰 축복임을 잊지 마라."
네 어렸던 시절부터 지켜온
생동의 햇살이
어제도 내일도 아닌
오늘을 살라 하는구나.

지행동물

1

길 저편에서 사람이 걸어오고 있다.
그 앞으로 고양이 한 마리가
어슬렁어슬렁 가로지른다.
발가락으로 걷는 고양이는
지행동물이다.

12가구가 사는 오층 건물주인은
고양이맘이다.
이외에 반련 견 몇 마리를
더 키우고 있다.
1층 주차장 벽면으로
몇 채의 가(假) 집을 만들어
3-4마리 성체고양이들로 하여금
언제든 쉬게 하고 있다.
그 각별한 보호 덕분에
고양이들은 호강을 누린다.
먹이 걱정을 않는 것은 물론이고
한겨울 추위 속에서도 따뜻하게 지낸다.
사람보다 더 귀한 대접을 받고 있다.

고양이들은 저희끼리 물고 싸우는 예 없이
사이가 좋다.
그래서 이동의 목격이 없다면
존재자체가 무심해진다.
고양이들이 무료를 달래는 행습은

단번에 뛰어오를 수 있는
낮은 담장 윗면을 소리 없이 걷거나,
차량 앞 범퍼에서 네 발을 쭉 뻗어
햇볕을 쬐거나,
타오른 나무 위에서
낯익은 아래를 살펴보거나,
바람에 날리는 낙엽을
장난삼아 쫓기도 한다.
털이 많이 빠지는 고양이는
영역동물이다.
이른 새벽과 저녁 움직임이
두드러지게 높다.
새벽에는 새
저녁에는 쥐 출몰이 잦기 때문이다.
그렇지만 동물 중 가장 많은 생명체로
배를 채운다는 실외고양이와는 달리
야생성 보기 힘든 집고양이들이다.

고양이들 덕분인지
이 동네에서는 쥐를 볼 수 없다.
딱 한번, 이층 창문에서 밤색고양이가
생명체를 갖고 노는 것 같은 양을
눈여겨 본적이 있었는데,
그것은 차도경계 선 따라
살기위협을 피하는 중체 쥐였다.
도망치는 쥐를 쫓으면서
앞발로 몸통을 툭툭 치거나
입으로 가볍게 물었다 놓아주는

짓궂은 장난질이었다.
비 내리는 어느 날,
대추나무 무성가지에 가려진
남향 편 베란다 아래 화단을 굽어보다
낯선 장면을 목도하게 되었다.
배 부위는 흰색 털
상체 부위는 검은 털로 뒤덮인 고양이가
작달비를 그대로 맞는 채로
네 다리 쭉 뻗고 옆으로 누워있었다.
명을 마친 것이다.
그 사체는 몇 시간 뒤 치워졌다.

                                    2
개에게도 주인이 지어준 이름이 있다.
그 이름을 불러주기 전까지는
목줄 개로 집만을 지키는
동물에 지나지 않다.
뼈다귀에 유혹당하는 미물에 불과하다.

개도 자기의 이름을 불러주면
어쩔 줄 모르는 반가움을
살랑살랑 꼬리로 화답한다.
개도 주인에게 무엇이 되고 싶다는
몸짓이 있다.
놀아주고 품에 안아줄 때
산책동무로 따라 나선다.

모래 위 발자취 밀물이 지워버렸다.

그 발자취는 죽음을 앞둔 어떤 여인이
최후로 남긴 유족(有足)이었다.
차오르는 밀물에 떠밀려 변으로
물러날 수밖에 없었던 개.
유족이 사라지자 끙끙 신음으로
슬픔을 나타낸다.

빈소의 여인

1

7월 중순의 무더위
언덕지대 이면도로 가파르다.
땀 흘리는 신체 힘들어한다.

활짝 열린 이층 빈소 비어 있다.
조의금 함에 봉투 투입 후
방문 록에 기재를 하려는 데,
맞은 편 식당에서
여러 명과 식사를 하던
검은 상복차림의
한 여성이 벌떡 일어나
휘둥그레 키운 눈빛 채로
신발을 신다말고
양말 발로 서둘러 건너온다.
예상치 못했다는 안색반응 뚜렷하다.
조문객이 영정을 향해 짧은 추모를 마치고
벽면 편으로 나란히 도열해 있는
네 유족과 마주한다.
한 달 전에 결혼한 큰딸 내외와
신장이 엇비슷한 작은 딸을
차례로 소개하는 고인의 아내
식당으로 안내한다.
그렇게 대면한 여류시인
어떻게 알고 왔느냐는
질문 거듭한다.

세월은 생명의 자취를 남긴다.
시인은 빗물에 씻기며 사라지는
그들의 자취와는 달리
고뇌를 담아 갈고 닦은
한편 한편의 글을 후세들에 물려
현(炫)을 부르게 한다.

2

프로그램 중간 광고 시간은 15초
그 네 번을 시청하면 1분
그 1분이 60 수에 이르면 1시간
그 1시간이 24 수에 이르면 하루
덧없이 흐르는 시간.
두어 달 전에 뽑아 거둔 뜰의 풀 자리
그 이모(耳牟)작 후생 초도
어느새 미취학 아이들의
키만큼이나 훌쩍 자라
무더위 0·5° 쯤 낮춘 미풍에
살랑살랑 흔들리며 있다.

한 솥밥을 먹었고
한 이불을 덮었고
초등학교 6년 전반도 함께 보낸
과거 친구의 죽음은
몇 개월 지난 후 알게 되었다.
카톡으로 문자를 보내도
도무지 답변이 없어
어느 날 전화를 걸었더니

없는 번호라는 기계적 답변만이 돌아왔다.
그 궁금증에 누구로부터 연락을 받았는지
지난 달 유월 중순에 처음으로
동창 중식모임에 앉아있는 죽마고우에게
그에 대한 근황을 묻다 비로소 접하게 되었다.
그 친구만이 과거 동료였던 그와
연락을 주고받는 연줄을 맺어두고 있었다.
필자와는 약 40년 전에 신촌재래시장에서
저렴한 식사를 대접 받은 이후
교류가 뚝 끊겨 존재에서 지워진지 오래다.

무소식이 희소식이라고
그가 어느 날 전화를 걸어왔다.
몸 상태가 좋지 않아
언제 죽을지 모른다는
마지막 시간을 앞두고
두 살 위 누나를 찾아달라는 내용이었다.
힌트는 상명을 알려 주지 않아
소재 파악이 전무한 강남구
부동산사무실이었다.

그의 요청은 그야말로 한강 모래판에서
바늘 찾기 식이라 대단히 황망했다.
경찰민원실에서의 상담도 도움이 안 되었다.
할 수 없이 찾을 길이 막막하다는
연락을 최종 보내고
이 문제 건은 잠정 접어뒀다.
이후 그는 필자의 전화를 일체 받지 않았다.

예전처럼 담벼락 차단으로 되돌아간 것이었다.
그럼에도 필자는 그의 전화번호를 남겨두고,
그토록 답변 없는 안부의 문자만을
거의 매일 띄우다시피 했다.

무 존재 부모의 한 피를 나눠 받은
형제간에
어떤 격분으로 사이가 틀어졌는지
제 삼자 입장에서는 알 도리 없으나,
그는, 친누나와의 혈육관계를
끊는다는 선언을
혈기왕성한 목청으로 내던지고
군 입소를 마쳤다.
이름까지 개명한 그의 일방적인 의절로
누나-동생은 서로의 소식을 모르고
각자도색으로 살아가게 되었다.
처가 쪽 친척이 운영하는
미사리 전기장판 제조업체에서
근무하는 한편으로
집 근처 신촌에서 노래방도 경영했던 그는
위암수술 들어가기 20여 년 전에
내용 모를 유언장을 미리 작성해뒀다.

그의 어렸을 적의 주요 행습은
양은대야 물로 세수를 할 적마다
얼굴을 좌측으로 획획 젖히면서
대야 밖으로 물을 튕겨내는 요란이었다.
이로 그는 물세례를 받게 된

좌우 동료들로부터 원성을 들어야만 했었다.
또한, 그는 발목까지 꼭 동여 싼
금속 재질 스케이트를 선수처럼
뒷짐을 지고 탔었다는 것이다.
언 발 동동 구르는 고무신짝의 동료들은
굵은 철사를 양날로 댄
나무판 썰매를 탔던 조잡에 비하면
생활수준이 질적으로 높았다.

개인 간에는 기억력이 뛰어난 필자에게
몇 월 며칠 요일이 오면 꼭 알려달라는
애원을 했었다는 것이다.
또 한 가지 기억은,
지서(파출소)에서 급사노릇을 할 당시
남산을 최초로 알게 했다는 것과
신촌에서 만난 이후
다른 한 날에 전기장판을
직접 준 적이 있었다.
그 전기장판 아직도 쓰고 있다.

그가 그림을 잘 그렸다는 정보는
필자는 전혀 알지를 못했었다.
그 예능 성을 뒤늦게 들려준 사람은
이따금 만나는 동창 몇몇이었다.

때는 무더위가 한창 기세를 떨치는
조용한 7월 하순 오후이다.
뜨거운 태양열을 그늘로 가려주는

베란다 통유리 밖 대추나무 열매들이
나날이 아름아름 굵어가는 철이다.
세월 저편 철부지시절 동안에만
친구요 동료였던 그의 인상착의는
가물가물 흐려 그림이 안 그려진다.
아무 해, 아무 달, 아무 날에
아내와 자녀들이 차마 외면은 할 수 없는
마지못한 성의 부족의 홀대를 받으며
이생을 달리한 고아출신의 노인이여,
흡연은 물론이고, 술도 못한 그대에게
술잔을 권한다면 받아 마시겠는가?
그래, 숨결 없는 망인들만이 모여 사는
그곳 생활 어떠하던가?
위암수술을 마친 이후부터
아내와 자녀들 간에도 마찰이 심해
홀로 지내다시피한 성향대로 편리하던가?
그대가 남긴 발자취에 빗댄다면
서로 간 교류 없이 지내는 그곳 생활
무척이나 평안할 것 같던데?
시간이 정지되어 소리를 듣거나
어떤 사물도 볼 수 없다는
흙냄새뿐인 캄캄 사벽의 세상에서는
손님을 맞을 리도,
유일한 핏줄인 누나를 찾겠다는
희망도 걸 수 없게 된 무자각 세상.
내 가보지 못해 먼저 자리를 잡고 누운
자네기에 묻는 걸세.
언제든 볼 수 있겠다 싶은 기대의 끈은

살아 숨 쉬는 교류 때만이 아니겠는가.
편지나 주문한 물건을 받는
소소한 기쁨도 있을 리 만무한 것처럼,
인생의 지나한 고통도 겪지 않겠지?

때가 되면 시장기를 해소해야 하는
사람들에게만 해당되는 질문이지만,
영영 못 볼 땅속 망인에게
이보다 불필요한 말이 어디 있을까마는,
그럼에도 내심 부러운 한편은
가난한 이들의 자나 깨나 걱정
먹을거리와 몸 가리는
의복 따위 마련을 위한
수고의 땀을 더는 흘리지 않아도
된다는 편이일세.
그 행적의 과정에서 죽이고 싶도록
미움이 극해진 이갈이 다툼,
더는 벌이지 않아도 됐다는 평심,
성가시기 그지없는 약속을 지키려
발품을 팔지 않아도 되는 고요
얼마나 행복할지 감이 잡히지 않는다네.
또 하나,
우리가 오월의 아카시아 흰 꽃송이를
아삭아삭 씹으며 그 꿀맛 도는 혀로
주절주절 떠들었던
어린 시절의 즐거움도
까맣게 잊은 채로 지내겠지.
아차! 자네가 퇴소한 외지인으로써

마음대로 드나들 수 없게 되어
보육원 주변을 맴돌던
어느 봄날,
밥값 하라며 삽을 들게 한
동원령을 받들어 호박구덩이 팔시
아이들의 뼈 조각들이 무수히 도출된
산마루 우측 양지 바른 묘지(난탑장=卵塔場)
석 제상 위에서 주린 배 움켜쥐고
하룻밤을 잤다는 말을 들려준 적이 있는
친구여,
부디 편히 쉬게나.

한 장 남은 달력

1

한 장 남은 달력 앞에서
옷깃을 여미며
목표에 이르지 못했다는
냄새 없는 아쉬움을 곱씹는다.

재능만을 걸고 이름을 내보겠다는
과도를 부린 거 아니었는지
흰머리 다시 검어질 수 없다는
아릿한 반성도 회상에 잠기게 한다.

앙상한 가지의 수목들
예나 다름없이 들러서
조잘조잘 즐겁게 떠드는 새들
흰 눈 보기 힘든 겨울 환하게 밝힌다.

때맞춰 찾아준 오랜 지기
고정 맞춘 눈빛 채로
장갑을 벗고 맞잡은 악령의 두 손
따뜻한 온기 교차된다.

든든한 보온복장에 털모자까지 쓴
콧잔등 빨간 어린 두 남매
엄마 보호 아래
기러기 편대 지나는 창공을 올려다본다.

2

바람에 놀란 큰기러기
모래밭에도 앉으려 하지 않고
찬 강물에 뛰어들어
먹이 사냥의 수영을 즐긴다.

겨울 잊은 따뜻한 저녁
간간이 푸르르 끓어오르는
연탄난로 위 주둥이주전자
허연 김 연시 피워내며
품앗이 공기로 감싸 안는다.

한두 명 사이에 낀 인수
어느덧 오륙 명
껍질 벗긴 속살의 밤톨을
손안에서 호호 굴려가며 넣은
입안의 치열로 꼭꼭 씹는다.

큰 웃음 없이 조용하나
왼손 상처 오른손이 덮듯
서로의 등을 쓰다듬는 소담한 손길
마음을 둔 편에 서면
그편 소리 듣게 되는 평등의 참맛

3

설 달이 드는 동지섣달
양기를 키워 음기(귀신)를 쫓아내는
새알심 팥죽 한 사발 먹는 사이

- 191 -

아궁이 재(齋)속에서
구수 향기 풍기는 고구마
입새 푸른 대나무 울리는 찬바람소리
개울 얼리는 센 기운 아득히 멀다.

호랑이 장가가는 긴긴 밤
손수 만든 버선 시어른께
선물하는 여인네,
한복 입은 새색시 거울을 보고
뜨개질하던 엄마가 머리맡에서 읽어주는
동화를 들으며 잠결에 드는 자녀들
어떤 행복의 꿈을 꿀까?

지나고 보니 땀의 보람을 체험한다.
생산성 없이 그냥저냥 노는 것과
일 뒤의 휴식 질적으로 다름을 깨닫는다.
세상 잊은 깊은 잠
깨어보니 해 길어지는
첫 아침이로세.

                                    4
온 세상 다 함께 기뻐하는 크리스마스
귀에 익은 캐롤이 울려 퍼지는 화이트거리
낯선 사람들 간에도 하늘의 평안을 기원하며
한없이 즐거운 고요한 밤을 속삭인다.

세상시름 가슴 펴고 잊게 하는
별들의 이 밤

누구에게나 사랑을 베푸는
착한 사람이었으며 싶은 마음이
절로 우러나는 평화의 이 밤
구유장식을 비추는 촛불
색동저고리 입은 무대 위
남녀아이들
'흰 눈 사이로~' 가사 담은 징글벨
재롱의 율동으로 선보이고
환한 표정의 학부형들
뜨거운 박수로 화답한다.

부모 품에서 어느덧 무럭 자란 소녀가
또래들에 케이크 조각 나눠주는 시간에
짠~ 등장한 흰 수염 산타할아버지
아기예수 탄생기념 자리에
초대받고 앉은 미혼모 가정들에
빨간 망주머니 선물을 안겨준다.

산타로 분신한 사람은
농경사회 때 무릎걸음으로 오른
하얀 눈 쌓인 언덕에서 뒹굴며 내려와
발을 디딘 논밭 얼음판에서
팽이 치고 썰매를 탔던 마을어른이다.

                            5
하늘과 땅, 물의 삼계(三界)를 아우르는
청룡(靑龍) 해 갑진년.
태몽부터 옹골찬 사기 기상을 찌르누나.

오늘의 비상을 자나 깨나
기다린 이무기
돌솟대 줄을 감아 승천한 하늘에서
나라의 해난을 막아주는 이상을 넘어
온 누리에 풍요를 내리는 장수의 힘
크고 크도다.
오오 보라, 지평을 장엄하게 연
세초의 동창
바다 기슭 꿈 깨우고 있지 않는가.
산림의 생명소리 듣게 하지 않는가.

지난 해 넘어진 자리에서 일어나
새해를 맞는 이 땅의 귀한 사람
옷자락 빛 날리니 낡은 옛 것 사라지고
생산성 피어오르니 보다 관대해진 신념
새로운 길잡이 선한 용기로 인도하고
모태예술 기량으로 하늘을 펴누나.
해야, 해야, 높이, 높이 솟아라.
그 빛발 구석구석까지 비춰
다른 사람 알지 못 하고
나 혼자 뿐이라는 안개를 거둬다오.
호흡하는 빛, 힘찬 기쁨
경쾌한 발걸음, 성장의 즐거움
뛰는 심장, 청춘의 소망
창의정신, 안목의 깊음
경이로운 찬란함, 놀라운 현상
소박한 미소, 하염없는 우정
대기의 축포, 나부끼는 깃발